新訂版 写真でわかる

看護のための感染防止
アドバンス

病院感染対策の基本・実践のポイントを徹底理解！

監修　川上 潤子
　　　日本赤十字社医療センター 看護部長

　　　日本赤十字社医療センター 感染管理室

インターメディカ

まえがき

　医療従事者にとって、感染予防に努めることはとても重要で基本的なことです。そして、感染対策は医療安全推進とともに医療機関の重要な取り組みであり、医療の質の根幹となっています。

　基礎教育でも臨床教育でも、感染防止に関する知識・技術の習得は必須であり、1996年にアメリカ疾病管理予防センターが発行した隔離予防策ガイドラインにより提唱された「スタンダード・プリコーション（標準予防策）」の考え方に基づいて実践されています。

　特に看護師は、患者にとって最も近い存在であるため、院内感染を防止したり、感染経路を遮断するためにも、とても重要な役割を担っています。

　2020年に、新型コロナウイルス感染症が世界中で猛威を振るい、パンデミックを引き起こしました。連日報道されるニュースに、医療者である私たちも恐怖心を煽られ、また、メディアによって異なる情報に混乱をきたすこともありました。

　そのような状況の中で私たちの施設も、一般診療の規模の縮小や診療体制を変更し、新型コロナウイルス感染症に罹患された患者、それ以外の疾患の患者に医療を提供してきました。病院長が対策本部長となる対策本部を設置して、感染対策や診療体制に関する決定事項を組織全体へ周知しました。多くの職員が、医療提供の継続と感染管理の徹底についてジレンマを感じており、その不安や要望を吸い上げる体制も構築して対応していきました。その中には、自分自身を感染から守る方法、他者に感染させない方法等についての質問も多くあり、ICT（Infection Control Team）が、スタンダード・プリコーションや感染経路別予防策、また体液曝露等の職業感染対策に基づいた説明を丁寧に行いました。そのほか、隔離やゾーニングの考え方、フェーズに応じた診療体制の変化等についても、ICTやICN（Infection Control Nurse）を中心に体制を整備していきました。

　このように、感染対策を日常業務や生活に根付かせて過ごした2020年からの3年間を振り返り考えたことは、適切な感染対策は1日にしてならず、一朝一夕にできることではない、ということです。私たちの施設にも、感染対策マニュアルがあり、今回実践してきたことも記載されています。日々、マニュアルに

基づき、実践してきたはずですが、今回の感染拡大、パンデミックは、私たちの知識や技術の再確認の機会となりました。そして、感染拡大を起こさないためには、平時から、スタンダード・プリコーションや感染経路別予防策、また、職業感染対策の実践を定着させることが重要であると痛感しました。

　医療現場の感染予防は、看護師の活動がまさに鍵と言えます。患者や家族に最も近い存在である看護師が感染予防の役割を担うことは、施設全体の感染予防対策につながっていきます。

　本書は、スタンダード・プリコーション、感染経路別予防策、職業感染対策についての内容以外にも、看護師が日々実践する看護技術についても、わかりやすく解説され、実践できる構成になっています。患者、自分自身、施設、地域を守るために正しい知識や技術を身に付け、安心して業務に従事していただきたいと思います。

　そして、今回の改訂にあたって、新しい章として「パンデミックに備えた医療機関における感染対策」を追加しました。当センターの実践例をもとに、有事に備えた組織としての感染対策、クラスター発生対策について、ポイントを紹介しています。

　また、感染予防には、看護職、医師などの医療従事者のみならず、職場に出入りする作業員や業者なども確実に予防策を実施する必要があります。ぜひ、貴施設の感染対策の実践のために本書を活用していただければ幸いです。

　最後に、本書の刊行にあたり、当センター感染症科の上田晃弘先生にご指導、ご協力いただきましたことに心から感謝申し上げます。さらに、株式会社 インターメディカ社長赤土正明様はじめ本書の制作に加わっていただきました方々に厚く御礼申し上げます。

2023年7月
日本赤十字社医療センター 看護部長
川上 潤子

新訂版 写真でわかる 看護のための感染防止 アドバンス
病院感染対策の基本・実践のポイントを徹底理解！

まえがき .... 川上 潤子　2

CHAPTER 1　病院感染対策の基礎 10
　　　　　　　スタンダード・プリコーション 13
　　　　　　　感染経路別予防策 15

CHAPTER 2　病院感染対策の実践 16
　　1　手指衛生 18
　　　　　アルコール擦式消毒 19
　　　　　流水石けん手洗い 21

　　[Web動画] アルコール擦式消毒（2分7秒）／流水石けん手洗い（2分33秒）

　　2　個人防護用具 24
　　　　　手袋の着脱方法 25
　　　　　マスクの着脱方法 28
　　　　　ガウンとビニールエプロンの着脱方法 30
　　　　　ゴーグル・シールドの着脱方法 34

　　[Web動画] 未滅菌手袋の着用方法（22秒）／未滅菌手袋の外し方（38秒）／サージカルマスクの着用方法（26秒）／N95マスクの着用方法（40秒）／未滅菌ガウンの着用方法（53秒）／未滅菌ガウンの外し方（36秒）／ビニールエプロンの着用方法（30秒）／ビニールエプロンの外し方（23秒）

　　3　滅菌物の取り扱い 35
　　　　　滅菌パックの開き方 36
　　　　　滅菌鑷子の取り扱い 38
　　　　　滅菌手袋の着脱方法 39
　　　　　滅菌包の開き方 42

　　[Web動画] 滅菌パックの開き方（1分4秒）／滅菌鑷子の取り扱い（1分45秒）／滅菌手袋の着用方法（1分7秒）／滅菌手袋の外し方（32秒）／滅菌包の開き方（50秒）

　　4　血管内留置カテーテルの管理 44
　　　　　中心静脈カテーテル 45

CONTENTS

  末梢静脈内カテーテル 48

> [Web動画] 中心静脈カテーテル挿入の手順（4分37秒）

5 尿道留置カテーテルの管理 51
  カテーテルの挿入 52
  カテーテル挿入中の管理 53

> [Web動画] カテーテルの挿入（6分22秒）／カテーテル挿入中の管理（1分47秒）

6 呼吸器関連の管理 56
  人工呼吸器の管理 57
  吸引時の管理 59
  気管切開部の管理 63
  酸素吸入器の管理 63
  ネブライザー式高流量酸素投与時の管理 64
  超音波ネブライザーの管理 64
  その他機器の管理 65

> [Web動画] 気管内吸引：閉鎖型吸引カテーテルを用いる場合（2分43秒）／
> 気管内吸引：開放型吸引カテーテルを用いる場合（4分10秒）／
> 口腔内吸引（2分46秒）

7 創傷の管理 66
  適切な除毛 66
  術創の管理 67
  排液ボトル・ドレーン管理 68

8 洗浄・消毒・滅菌 70
  洗浄 71
  消毒 72
  滅菌 76

9 環境整備 78
  日常清掃 78

CONTENTS

  10 感染性廃棄物の処理 84
    感染性廃棄物の種類 85
    感染性廃棄物の取り扱い 86
  11 細菌培養検体の採取方法 87
    検体の採取方法：喀痰 88
    検体の採取方法：尿 89
    検体の採取方法：血液 90

  Web動画 検体の採取方法：血液（5分18秒）

CHAPTER 3 職業感染対策 96
  1 針刺し防止対策 98
    厳守すべきルール 99
    針刺し防止のための器材 100
  2 血液汚染事故時の対応 103
    針刺しへの対応 103
  3 職員抗体検査とワクチン接種 106
    各感染症への対応 106

CHAPTER 4 パンデミックに備えた医療機関における感染対策 ... 110
  組織としての感染対策 112
  クラスター対応 115
  ゾーニング 116

参考文献 119
索引 121

EDITORS/AUTHORS

【監修】	川上 潤子	日本赤十字社医療センター 看護部長
	日本赤十字社医療センター 感染管理室	

【編著】　西川 美由紀　日本赤十字社医療センター 感染管理室 副看護師長、
　　　　　　　　　　　感染管理認定看護師

【編集】　大久保 佳代　日本赤十字社医療センター 感染管理室 感染管理認定看護師

【協力】　吉田 みつ子　日本赤十字看護大学 基礎看護学・がん看護学 教授
　　　　　本庄 　恵子　日本赤十字看護大学 成人看護学 教授

【撮影協力】　日本赤十字社医療センター 看護部
　　　　　　　日本赤十字看護大学
　　　　　　　上田 　晃弘　日本赤十字社医療センター 感染管理室 感染症科 部長
　　　　　　　吉田 　道子　日本赤十字社医療センター 看護部 集中ケア認定看護師
　　　　　　　大沢 　順子　日本赤十字社医療センター 看護部 皮膚・排泄ケア認定看護師
　　　　　　　土屋 　圭祐　日本赤十字社医療センター 看護部

本書のWeb動画の特徴と視聴方法

わかりやすく、リアルなWeb動画で、
看護の流れやポイントを実践的に理解！

Web動画の特徴

- テキストのQRコードをスマートフォンやタブレット端末で読み込めば、リアルで鮮明な動画がいつでも、どこでも視聴できます。
- テキストの解説・写真・Web動画が連動することで、「読んで」「見て」「聴いて」、徹底理解！
- Web動画で、看護技術の流れやポイントが実践的に理解でき、臨床現場のイメージ化が図れます。
- 臨床の合間、通勤・通学時間、臨地実習の前後などでも活用いただけます。

本書のQRコードがついている
箇所の動画をご覧いただけます。

本文中のQRコードを読み取り
Web動画を再生。
テキストと連動し、より実践的
な学習をサポートします！

滅菌パックの開き方 3-1

完全な状態で供給された滅菌物であっても、滅菌パックは不備な管理により破損していたり、使用期限が切れていたりする可能性がある。そのため、使用前に確認を徹底する。また、滅菌パックの内容物に不潔な手が触れないよう、清潔操作に努める。

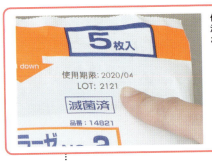

使用期限切れの場合、滅菌物として使用しない

※無断で動画を複製・ダウンロードすることは法律で禁じられています。

Web動画の視聴方法

本書中のQRコードから、Web動画を読み込むことができます。
以下の手順でご視聴ください。

① スマートフォンやタブレット端末で、QRコード読み取り機能があるアプリまたはカメラを起動します。
② 本書中のQRコードを読み取ります。
③ 動画再生画面が表示されますので、動画をご視聴ください。

閲覧環境

- iOS搭載のiPhone／iPadなど
- Android OS搭載のスマートフォン／タブレット端末
- パソコン（WindowsまたはMacintoshのいずれか）

・スマートフォン、タブレット端末のご利用に際しては、Wi-Fi環境などの高速で安定した通信環境をお勧めします。
・インターネット通信料はお客様のご負担となります。
　動画のご利用状況により、パケット通信料が高額になる場合があります。パケット通信料につきましては、弊社では責任を負いかねますので、予めご了承ください。
・動画配信システムのメンテナンス等により、まれに正常にご視聴いただけない場合があります。その場合は、時間を変えてお試しください。また、インターネット通信が安定しない環境でも、動画が停止したり、乱れたりする場合がありますので、その場合は場所を変えてお試しください。
・動画視聴期限は、最終版の発行日から5年間を予定しています。なお、予期しない事情等により、視聴期間内でも配信を停止する場合がありますが、ご了承ください。

QRコードは、（株）デンソーウェーブの登録商標です。

CHAPTER 1
病院感染対策の基礎

CONTENTS

スタンダード・プリコーション

感染経路別予防策

CHAPTER 1 病院感染対策の基礎

病院感染とは、病院内に存在する感染源により、入院患者（入院後48時間以降に発症した患者）、外来患者、医療従事者が感染症を発症することをいう。

病院感染が発生すると患者に多大な苦痛を与えるだけでなく、患者やその家族は病院に対して不信感が生じ、時に医療紛争に発展する。

患者および医療従事者が病院感染によって受ける不利益を最小限にするために「病院感染対策」を行う必要がある。

病院感染対策として、病院内のすべての患者に適応されるスタンダード・プリコーション（標準予防策）の実践と病原体の伝播経路を遮断する感染経路別予防策が重要である。

※最近では、医療サービスの現場が介護施設、クリニック、在宅まで広がったこと、また、それに伴い感染場所の特定が困難になってきたため、医療関連感染（HAI:Healthcare-associated Infection）という言葉が採用される場合も多い。

目的

1. 患者の安全を確保する。
2. 医療従事者、来訪者、その他の医療環境にいる人々の安全を確保する。

STUDY　感染症の発症要因

感染の成立には、「感染源」「感受性宿主」「感染経路」の3つの要因が関連する。
宿主は生体防御機構によって感染源（病原体）に対抗し、種々の免疫反応や炎症反応が引き起こされるため、3つの要因の連鎖のどこか1か所でも断ち切れば感染は予防できる。

①感染源
感染源の対策には消毒や滅菌がある。しかし、患者自身の正常細菌叢が感染源になることもあるため、あらゆる微生物を抗菌薬や生体消毒薬を用いて殺滅すると、多剤耐性菌感染症や消毒薬の毒性に患者をさらすことになり、これだけでは感染予防につながらない。

②感受性宿主（感染しやすい宿主）
感受性宿主の対策には、予防接種や栄養状態の改善があるが、基礎疾患や高齢化など宿主のリスクは年々増加し、ここを断ち切ることは容易でない。

③感染経路
感染経路の遮断が最も介入しやすく、その効果が高い。スタンダード・プリコーションを基本とし遵守したうえ、感染源に応じた経路別対策を追加・実施する二段式構造を基本とする。

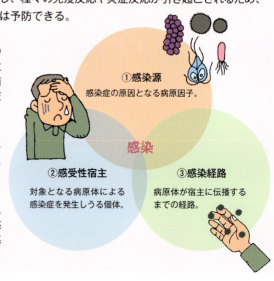

①感染源
感染症の原因となる病原因子。

②感受性宿主
対象となる病原体による感染症を発生しうる個体。

③感染経路
病原体が宿主に伝播するまでの経路。

感染

スタンダード・プリコーション

スタンダード・プリコーションとは、CDC（アメリカ疾病管理予防センター）の『Guideline for Isolation Precautions：Preventing Transmission of Infectious Agents in Healthcare Settings 2007（隔離予防策ガイドライン）』に記されている基本的な医療関連感染予防策のことである。感染経路の遮断において最も基本的でかつ重要な対策であり、病院内においてはすべての患者に適応される。

すべての患者の ①血液　②汗を除くすべての体液・分泌物・排泄物　③粘膜　④損傷した皮膚 を感染の可能性のあるものとして対応する。

スタンダード・プリコーションの実施

感染症には潜伏期間があること、未知の感染症の存在も考えられることにより、感染症の確定診断には限界がある。スタンダード・プリコーションは、あらゆる微生物を視野に入れた対応の必要性から考案された予防策である。

■スタンダード・プリコーションの具体策

①手指衛生

適切な手指衛生はすべての感染防止対策の基本であり、最も重要な手技である。血液、体液、分泌物、排泄物、汚染された器具類に触れた後、手袋を外した後、患者と接触した後などに実施する（P.18～23参照）。

②個人防護用具

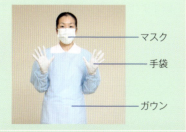

マスク／手袋／ガウン

血液、体液、分泌物、排泄物などに触れる場合、侵襲的な処置を行う場合は感染の危険性があるものとして手袋を着用する。また、汚染が懸念される範囲に応じて随時ガウン・ビニールエプロン、マスク、ゴーグル・シールドを着用する。個人防護用具を外した後は、きれいにみえても手は汚染されているため、必ず手指衛生を実施する（P.24～34参照）。

③呼吸器衛生／咳エチケット

呼吸器感染症（咳・鼻水・くしゃみ・呼吸器分泌物の増加など）の兆候・症状のあるすべての人に対して、飛沫感染や接触感染による感染拡大を防ぐために実施する。
咳をしている人へのマスクの着用、咳やくしゃみの際は口と鼻をティッシュで覆うかマスクの着用、使用済みのティッシュはゴミ箱に捨てるなど、指導する。

CHAPTER 1

④環境整備 	患者周辺の環境表面は、汚染や埃がないように清掃し、手がよく触れる環境表面は、その他の表面よりも頻繁に清掃する。日常的な清掃、消毒については手順を明確にし、実行されているかを確認する（P.78〜83参照）。
⑤リネンの取り扱い 	リネンは汚染を広げないように取り扱う。特に血液、体液、分泌物で汚染されたリネンは、皮膚との接触、着衣の汚染、病原体の伝播を避けるように取り扱い、搬送・処理する（P.80〜81参照）。
⑥患者に使用した器具の取り扱い 	血液、体液、分泌物などで汚染した器具・器材は、周囲に汚染が拡大しないように取り扱う。 器具・器材を再利用する場合は、スポルディングの分類（P.70参照）を基本に適切な消毒・滅菌方法を選択し、処理する。
⑦患者配置	微生物が伝搬しやすい状態（被覆できない多量の分泌物・排泄物や滲出液がある患者、ウイルス性呼吸器または消化器感染症のある乳幼児など）の患者は、優先的に個室に収容する。 個室の数が限られる場合には、同じ病原体による保菌または感染症の患者を同室にする（コホーティング）。
⑧安全な注射手技 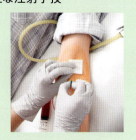	注射を介した血液媒介病原体の伝播を予防するために以下の対策を講じる。 ・滅菌された単回使用の使い捨て注射針・注射器を用いる ・注射器、注射針、輸液セット、輸液バッグ（ボトル）は、複数の患者に使用しない ・単回量バイアルやアンプルを複数の患者に使用しない ・複数回量バイアルに使用する針および注射器は滅菌されたものを用いる
⑨硬膜外や脊椎穿刺時のマスク	硬膜下腔や脊柱管にカテーテルを留置したり薬剤を注入する時には、術者は口腔内常在菌の汚染のリスクを低減するため、サージカルマスクを着用する。
⑩職員の安全 	針・メス、その他鋭利な器械・器具による受傷を防止し、血液媒介病原体への曝露予防策を実施する（P.98〜102参照）。 具体的には、注射針にリキャップをしない、注射針や鋭利器材は耐貫通性の容器に入れる、安全器材を使用する、鋭利器材を取り扱う際には手袋をつける、必要に応じて個人防護用具を着用するなどである。

感染経路別予防策

病院感染対策を考える時、最も重要で効果的かつ効率的なのが感染経路の遮断である。

感染経路には、「接触感染」「飛沫感染」「空気感染」「物質媒介型感染」「昆虫媒介感染」の5つがあるといわれている。病院感染では「接触感染」「飛沫感染」「空気感染」の3つの対策が重要であり、スタンダード・プリコーションに加えて感染経路別予防策を実施する。

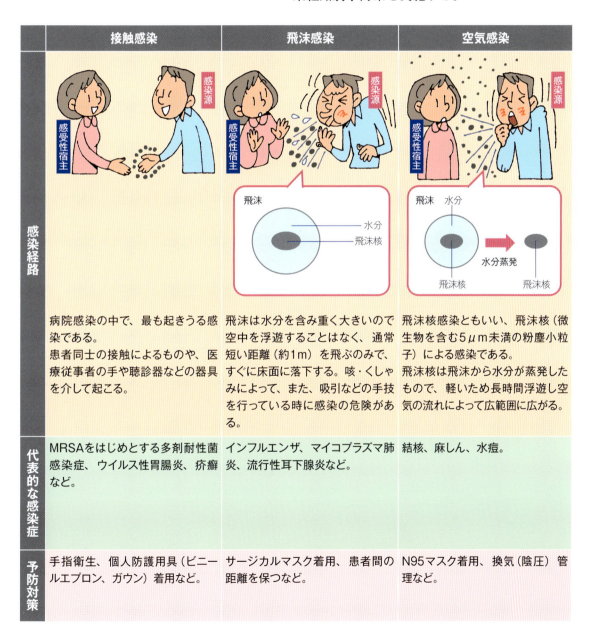

	接触感染	飛沫感染	空気感染
感染経路	病院感染の中で、最も起きうる感染である。患者同士の接触によるものや、医療従事者の手や聴診器などの器具を介して起こる。	飛沫は水分を含み重く大きいので空中を浮遊することはなく、通常短い距離（約1m）を飛ぶのみで、すぐに床面に落下する。咳・くしゃみによって、また、吸引などの手技を行っている時に感染の危険がある。	飛沫核感染ともいい、飛沫核（微生物を含む5μm未満の粉塵小粒子）による感染である。飛沫核は飛沫から水分が蒸発したもので、軽いため長時間浮遊し空気の流れによって広範囲に広がる。
代表的な感染症	MRSAをはじめとする多剤耐性菌感染症、ウイルス性胃腸炎、疥癬など。	インフルエンザ、マイコプラズマ肺炎、流行性耳下腺炎など。	結核、麻しん、水痘。
予防対策	手指衛生、個人防護用具（ビニールエプロン、ガウン）着用など。	サージカルマスク着用、患者間の距離を保つなど。	N95マスク着用、換気（陰圧）管理など。

CHAPTER 2
病院感染対策の実践

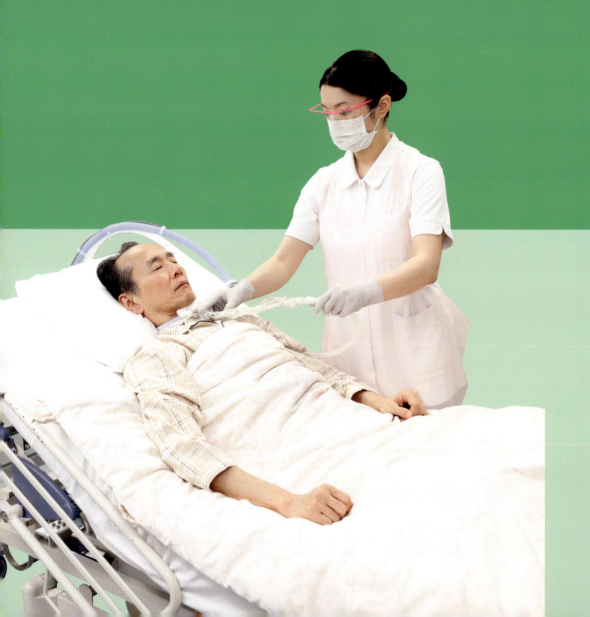

CONTENTS

1. 手指衛生
2. 個人防護用具
3. 滅菌物の取り扱い
4. 血管内留置カテーテルの管理
5. 尿道留置カテーテルの管理
6. 呼吸器関連の管理
7. 創傷の管理
8. 洗浄・消毒・滅菌
9. 環境整備
10. 感染性廃棄物の処理
11. 細菌培養検体の採取方法

CHAPTER 2

1 手指衛生

医療従事者は汚染されたものに接触する機会が多く、手には目に見えない汚れや微生物がたくさん付着している。その手で患者や医療器材に触れることにより、私たちの手は微生物の運び屋となってしまう。そうならないよう、正しい方法とタイミングで手指衛生を実施していくことが大切である。手指衛生はスタンダード・プリコーションにおいて最も重要であり、簡単で経済的な方法でありながら、病院感染のリスクを減らすことができる最も効果的な方法である。

目的
1. 医療従事者の手指を介した交差感染から患者を守る。
2. 医療従事者自身を守り、病院感染のリスクを減らす。

手指衛生をしなければならない時

- 患者に接する前（感染成立の連鎖を断ち切るために、最も重要である）
- 手袋着用前
- 侵襲的器具挿入前
- 患者の健常皮膚に接触した後
- 体液、排泄物、粘膜、非健常皮膚、創傷被膜に触れた後
- 同一患者のケアや処置中に、汚染部位から清潔部位に移る場合
- 患者の身の回りに接触した後
- 手袋を外した後

■手指衛生の方法

手指衛生には、石けんと流水による「流水石けん手洗い」とアルコール基材の速乾性擦式手指消毒薬を使用する「アルコール擦式消毒（速乾性擦式手指消毒）」がある。状況に応じた方法を選択することが必要である。

アルコール擦式消毒

手が目に見えて汚染されておらず、かつ、アルコールが効く微生物に接触した場合は、アルコール擦式消毒薬を使用する。消毒に効果的な時間である、15秒以内に乾燥しない量（2〜3mL程度）を手に取り、まんべんなくすり込む。

流水石けん手洗い

手が目に見えて汚染されている場合や血液・体液で汚染されている場合、アルコールが効かない微生物*に接触した場合は、流水石けん手洗いを15〜20秒かけて実施する。

*アルコールが効かない微生物：芽胞形成菌（クロストリジウム・ディフィシル、セレウス菌など）やエンベロープを持たないウイルス（ノロウイルスなど）

アルコール擦式消毒

アルコール擦式消毒は、流水石けん手洗いに比べて設置場所を限定されることなく、必要な場所に設置が可能であり、病室前やベッドサイドに設置することが無理であればスタッフ個人が携帯することもできる。

15秒以内に乾燥しない量のアルコール擦式消毒薬を手に取り、まんべんなくすり込むことが推奨されている。

❶ ゆっくりポンプを押し、ノズルを最後まで押し切って必要量を手に取る。

POINT

- アルコール擦式消毒薬は、開封後アルコール濃度が低下するため、開封日を記入し、使用期限（約半年）が切れていないかを確認する。

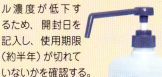

- アルコール擦式消毒薬の使用量が極端に少ない、または、使用期限が切れている場合は、使用頻度が低いことが考えられる。設置場所を再検討するか、使用頻度の高い場所のアルコール擦式消毒薬とのローテーションを試みるなど工夫する。
- 病室前のアルコール擦式消毒薬は、患者や面会の方も使用するため、ボトルの埃の有無や、自動手指消毒器（ディスペンサー）を設置している場合は破損の有無なども確認する。
- アルコールには引火性があるため、火気の近くには置かないようにする。

❷

POINT

- 手のひらに出した消毒薬がこぼれて床を汚さないよう注意する。

❷ 手のひらにとった消毒薬に、指先をこすりつけてすり込む（両手）。

❸

❹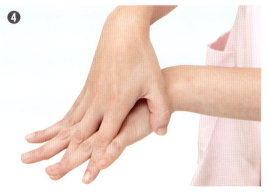

❸ 手のひらをこすり合わせてすり込む。

❹ 手の甲にすり込む（両手）。

CHAPTER 2

❺

> **POINT**
> ■ アルコール擦式消毒薬の量が少ないと滅菌率が低いうえ、消毒されない部分が残る。そのため、十分量を取り手指全面にしっかりとすり込む。

❺ 指の間にすり込む（両手）。

❻ 親指をもう片方の手で包んで回転させ、すり込む（両手）。

❼ 手首を握り回転させ、すり込む（両手）。

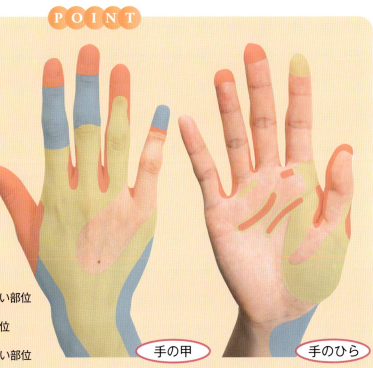

POINT

洗い残しに注意!
■ 単純に手洗いをするだけでは汚れを落としきれない。洗い残しが多い部位を知り、正しい手指衛生を行うことが必要である。

■ 指先や爪の生え際、指の間、親指、手首など、洗い残しやすい部位を意識して洗う。

■ 腕時計や指輪をしたまま手指衛生を行うと洗い残しの元となるため、手指衛生時には外すようにする。

● 最も手洗いをしそこないやすい部位
● 手洗いをしそこないやすい部位
● やや手洗いをしそこないやすい部位

手の甲　　手のひら

Taylor LJ : An evaluation of handwashing techniques-1. Nurs Times. 1978;74(2):54-55.

病院感染対策の実践

流水石けん手洗い 1-2

アルコール擦式消毒と同等の効果を得るには、石けんをつけ、手をこすり合わせている時間（すすぐ時間や乾かす時間を除く）が15秒以上必要*である。

*流水石けん手洗いを有効とする研究の多くは、15～60秒間かけた場合の評価に基づくものであり、効果を得るためには最低でも15秒以上は石けんをつけて手をこすり合わせている時間（すすぐ時間や乾かす時間を除く）が必要である。

EVIDENCE
- 手は極力流水で洗うのが良い。温水で頻回に洗うと皮膚炎のリスクがあるとの報告がある。（文献10）

POINT
- シンクの周囲は親水性の微生物（緑膿菌、セラチアなど）で汚染されていることが多いため、不用意に触れないように注意する。
- 石けんは一定以上の濃度があってこそ、洗浄力を発揮する。「泡立てられる石けん量＝洗浄力の出る濃度」とされており、泡が立つ量の石けんを使用する。
- 泡立てられた石けんで手を洗うことにより、手の摩擦を減らし手荒れ予防になる。

❶ 石けんの泡立ちをよくするため、手指を流水でしっかりと濡らす。

❷ 石けん液を適量、片方の手のひらに取る。

❸ 手のひらと手のひらをこすり合わせ、よく泡立てる。

POINT
- 右手・左手と上下を変えて、洗う。

❹ 手の甲をもう片方の手のひらでこすり合わせて洗う（両手）。

❺ 指を組んで両手の指の間をこすり合わせて洗う。

CHAPTER 2 手指衛生

CHAPTER 2

POINT
■ 親指は、洗い残しやすいので注意!

❻ 親指をもう片方の手で包んで回転させ、こすり合わせて洗う（両手）。

POINT
■ 爪は、洗い残しやすいので注意!

❼ 指先をもう片方の手のひらにこすりつけて洗う（両手）。

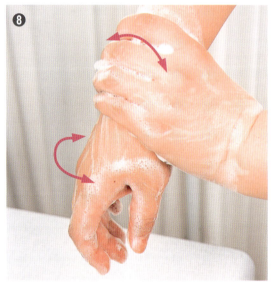

❽ 手首を握り、回転させて丁寧にこすり洗う（両手）。

POINT
■ 手首・指の間・爪の先も忘れずによくすすぐ。

❾ 流水でよくすすぐ。

POINT
■ 使用した（湿った）タオルを放置しておくと、雑菌が繁殖する。衛生面を考慮し、使い捨てのペーパータオルを使用する。
■ 水滴が逆流しないよう、指先は上に向けたまま拭く。
■ 手に水分が残っていると、乾いた状態よりもはるかに多くの手に付着した微生物を媒介しやすくするため、水分を完全に拭き取って乾かす。

❿ ペーパータオルでよく水気を拭き取る。

病院感染対策の実践

アルコール擦式消毒が主流となってきた理由（文献11を図式化）

アルコール擦式消毒	流水石けん手洗い
●短時間で、手指付着菌が減少。	●臨床場面での手洗い時間は7秒前後であり、十分に時間をかけられない。
●特別な設備は不要。	●手洗い設備が必要。
●皮膚軟化剤配合が可能。	●手洗い後、必要に応じて手荒れ対策にクリームを塗布する必要がある。

※ ただし、アルコールには汚染物質を除去する能力はなく、目に見える汚染がある場合は、まず流水石けん手洗いを行う。

アルコール擦式消毒薬の管理にあたっては、以下の点に注意する。
- 開封日の日付をボトルの側面のよく見えるところに記し、使用期限を意識して使う。
- 清潔を保つため、ボトルとその周囲に埃がたまらないように、定期的に清掃する。

CHAPTER 2 手指衛生

Column　手のスキンケアは大切！

手指の乾燥は手荒れの前兆であり、特に冬場は手洗い時にお湯を使う機会が多く、手の脂分が洗い流されて乾燥しがちである。

手が荒れると荒れた部分に細菌が定着し、交差感染の危険性が増えるだけでなく、手指衛生の遵守率を低下させる要因にもなる。

手荒れを防ぐためには、エモリエント含有のアルコール擦式消毒薬を使用するとよい。エモリエント成分には、石けんやエモリエント未含有のアルコール擦式消毒薬に比べて皮膚の炎症や乾燥を防ぐ効果がある。

また、こまめにハンドクリーム（保護クリーム）を使用するのもよい。ただし、病院内で広口びんのハンドクリームを共用すると、手の常在菌がクリームに付着することにより、びんの中で雑菌が繁殖して交差感染のリスクが高まるため、ワンウェイなボトルポンプ型のハンドクリームが推奨される。

ハンドクリームに使用期限があれば遵守し、清潔を保つため、ボトルとその周囲に埃がたまらないよう定期的に清掃する。

CHAPTER 2 個人防護用具

スタンダード・プリコーション、感染経路別予防策の実践で手指衛生と並んで重要なものが、個人防護用具（PPE：Personal Protective Equipment）である。
患者はもとより、医療従事者の安全を守るために重要である。
ケアの際には感染経路を確認し、適切な防護用具を選択して組み合わせ、着脱に留意し、使用する。

目的
1. 医療従事者の皮膚や粘膜を、患者の体液や血液などから保護する。
2. 微生物を含む飛沫が、衣服に付着し汚染するのを防ぐ。

■個人防護用具の着脱順序

作業者自身の安全を守るため、正しい順序で着脱を行う必要がある。誤った順序で着脱すると、汚染物質に触れる確率が上がるため、感染リスクが高まる。

着用順序
1. 手指衛生
2. ガウン、ビニールエプロン
3. マスク
4. ゴーグル・アイシールド、フェイスシールド
5. 手袋

外す順序
1. 手袋
2. 手指衛生
3. ゴーグル・アイシールド、フェイスシールド
4. ガウン、ビニールエプロン
5. マスク
6. 手指衛生

※基本的に外す順序は右記の通りであるが、汚染を拡大させないために、汚染が激しいものがあれば先に外すとよい。

CHECK! 個人防護用具の取り扱い

- 個人防護用具は外す時が重要で、汚染箇所を拡大させないために、汚染箇所に触れないよう注意する。また、不用意な感染を広げないためには使用直後に外し、速やかに廃棄することも重要である。速やかな廃棄を行うためには、作業導線を考えた廃棄容器の設置も大切である。
- 個人防護用具はいつでもすぐ使えるように、様々な場所に設置しておくとよい。水回りに置く場合は、水がかからないよう高い場所か少し離れた場所に置くようにする。また、埃を避けるため、床に近い場所には置かないようにする。

病院感染対策の実践

手袋の着脱方法

手袋はスタンダード・プリコーションや接触感染対策を実施するうえで、最も一般的かつ効果的で使用頻度の高い個人防護用具である。同一患者の一連の処置時でも、汚染部位を取り扱った後は交換する。また、使用目的が達成されたら速やかに交換する。ここでは、未滅菌手袋の着脱方法を紹介する。

■手袋の使用

未滅菌手袋	滅菌手袋
■ 体液や滲出液を扱う時。 ① 採血・口腔ケア・排泄ケア ② 痰や血液を拭き取る時 ③ ドレーン（内容物）廃棄時　など ■ 医療者の手指に創傷がある時。 ■ 汚染された物品やリネン類を扱う時。	■ 無菌処置時。 ① 手術 ② 中心静脈カテーテル挿入 ③ 尿道カテーテル挿入 ④ 骨髄・腰椎穿刺　など

❶ 未滅菌手袋の着用方法

❶ 手指衛生後、自分に合ったサイズの手袋を選ぶ。手袋の端を持ち、手を挿入する。

❷ 指先がフィットするように、手袋の手首部分を持ち引っ張る。

CHAPTER 2

❷ 未滅菌手袋の外し方

POINT

- 手袋の端をつかんだり、手袋と手の間に指を入れると、汚染の原因になるので注意する。

❶ 手袋の手首あたりを把持する。

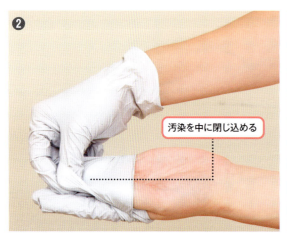

汚染を中に閉じ込める

❷ 手首の部分でつかんだ手袋を指先に向けて引っ張り、手袋の内側が表になるように外す。

❸ 手袋を裏返すように引き抜く。

Column　　　　　　　　　　　　　　　手袋の素材

手袋の素材にはラテックス製（天然ゴム）、ニトリル製（合成ゴム）、プラスチック製などがある。
ラテックス製は、密着性や強度に優れているため医療現場で多く使用されていたが、アレルギーの問題が注目され、最近ではニトリル製が汎用されるようになっている。
プラスチック製の密着性や強度は、ラテックス製やニトリル製に比べてやや劣るが、安価のため短時間の作業や汚染の少ない作業で使用される。
素材によって使用感や耐久性、価格などが異なるため、使用する場面に応じて選択していく必要がある。

病院感染対策の実践

❹ 外した手袋を小さく丸めて持つ

❹ 外した手袋を丸め、手袋着用側の手で持つ。手袋と手の間に指を入れる。

POINT
- 手袋の外側に触れないように注意する。
- 母指を手袋の端に入れると、他の指が汚染される可能性があるため母指は使わない。また、端を持たないようにする。
- 外した手袋を小さく丸めないと、手に触れて汚染する可能性があるため注意する。

中表となった手袋の中に、もう片方の手袋が収納されている

❺ 手袋の端を引っ張り、汚染された部位が内側になるように外す。

❻ 外した手袋は感染性廃棄物ボックスへ捨て、直ちに手指衛生を行う。

POINT
- 一度使用した手袋は、小さい穴が空く確率が未使用の手袋より高く、その穴を通り微生物が侵入し感染するおそれがあるため、再使用はせず手袋を外した後は直ちに手指衛生を行う。

CHECK!
キャップとフットカバー

使用頻度は高くないが、個人防護用具の中にはキャップとフットカバーも含まれる。

キャップ

- 髪の毛が汚染される可能性のある場合や、髪の毛が落下しないよう清潔領域の環境汚染防止の目的で使用する。
- 髪の毛はすべて、キャップの中に入れる。

フットカバー

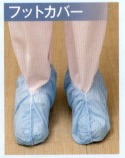

- 靴への汚染や、靴から環境への汚染を防ぐために使用する。
- フットカバーを履いた後、脱いだ後は手が汚染されていると考え、手指衛生を実施する必要がある。
- 床が汚染されている場合は、フットカバーでパンツの裾を覆う。

CHAPTER 2 個人防護用具

CHAPTER 2

マスクの着脱方法

マスクは飛沫感染予防対策、空気感染予防対策として着用する。ここではサージカルマスクとN95マスクの着脱方法を紹介する。

■マスクの使用

サージカルマスク	N95マスク （0.3μm以上の微粒子を95％以上遮断し、かつ着用部分からの空気の漏れ率を10％以内に抑える機能があるもの）
■ 飛沫感染患者の1m以内に接近する時に着用する。 ■ 咳エチケットとして、咳をしている本人が着用する。	■ 空気感染対策の必要な患者（結核など）の病室に入室する時に着用する。 ※患者はN95マスクを着用しない。N95マスクを着用すると息苦しいため、かえって咳を誘発する場合がある。移送や移動などの必要時、医療従事者はN95マスクを着用し、患者は飛沫核の散乱を最小限にするため、サージカルマスクを着用する。

❶ サージカルマスクの着用方法

2-3

隙間なくフィットさせる

❶ マスクの表裏・上下を確認し、ノーズピースに折り目をつける。

❷ ゴムバンドを耳にかける。

❸ ノーズピースを鼻に合わせ、顎下までプリーツをのばす。

鼻にフィットしていない　　隙間がある

POINT
- 鼻や顎下周囲に隙間が空きやすいので注意する。
- 顔とマスクが密着していないと、隙間から感染性物質（呼吸器分泌物および血液や体液の飛沫など）の侵入を避けられず、また、マスク着用者自身の菌やウイルスをマスク内にとどめることができず拡散してしまうため、感染のリスクが高まる。

❷ サージカルマスクの外し方

❶ ゴムバンドを持ち、外す。

❷ 感染性廃棄物ボックスへ捨てる。

POINT
- マスクの表面（外側）は患者の感染性微生物を含んだ飛沫で汚染され、裏面（内側）は着用者の口腔内常在菌や皮膚常在菌が付着し不潔である。そのため、マスクの両面に触れないようゴムバンドを持ち、破棄する。

病院感染対策の実践

❸ N95マスクの着用方法

❶ ノーズピースを上にし、折り目をつける。

❷ 鼻・口・顎を覆うようにマスクを当て、上のゴムを後頭部に、下のゴムを後頸部にかける。

❸ ノーズピースを押さえ、鼻に密着させる。

❹ フィットしているか確かめるため、ユーザーシールチェックを行う。

POINT
- 鼻や顎の周囲は漏れやすいのでしっかりと密着させる。

CHAPTER 2 個人防護用具

CHECK!
N95マスクのフィットテスト

N95マスクが着用者にフィットし、接顔部の漏れが最小であるかを調べるために実施される。定期的な確認が必要であり、確認方法としては、定性的テストと定量的テストがある。

■ **定性的テスト**
フードをかぶってサッカリンなどの味覚成分を吹きかけ、着用者が味を感じるか否かを試すもの。

■ **定量的テスト**
専用の機械を用い、N95マスクの外側と内側の粒子の割合を測定し、漏れ率を定量的に示すもの。

ユーザーシールチェック
機械を用いないで、マスクと顔の気密性を確認する方法。
両手でマスクを覆い、呼吸をし、空気の漏れがないかを確認する。
漏れがある場合は、調整し着用し直す。
N95マスクを着用したら、毎回必ずユーザーシールチェックを行うことが感染防止のためには重要である。

❹ N95マスクの外し方

❶ マスクを片手で押さえ、ゴムバンドを外す。

❷ マスクを顔から外し、感染性廃棄物ボックスへ捨てる。

CHAPTER 2

ガウンとビニールエプロンの着脱方法

ガウンやビニールエプロンは、スタンダード・プリコーションとして、または接触感染対策が必要な微生物が検出されている患者の処置時に着用する。バリア性（防水・撥水性で非浸透性の機能）を考慮し、不織布またはポリエチレン素材のものを選択する。ここでは、未滅菌ガウンとビニールエプロンの着脱方法を紹介する。

■ガウン・ビニールエプロンの使用

未滅菌ガウン・ビニールエプロン	滅菌ガウン
■ 血液・体液、排泄物などが白衣や皮膚に接触する可能性がある時。 ※ガウンやエプロンは、上腕・上肢が汚染される（可能性がある）かどうかで使い分ける。	■ 手術や中心静脈カテーテル挿入といった無菌操作が必要な処置・検査時。

① 未滅菌ガウンの着用方法

2-5

❶ ガウンを広げ、襟ぐりを両手で持つ。

POINT
■ ガウンが床につかないように注意する。

❷ 頭にくぐらせる。

❸ 左右のそでを通す。

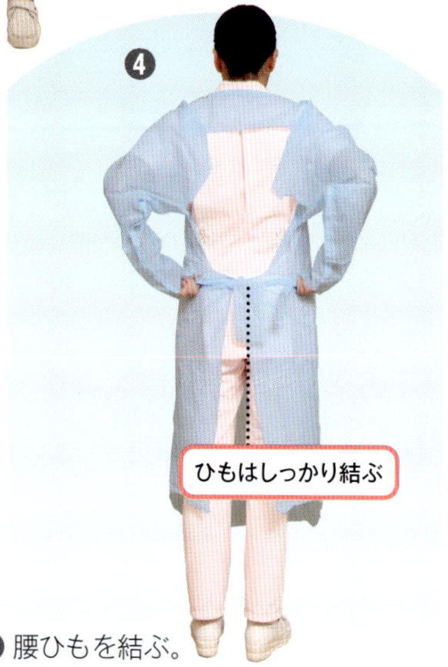

❹ 腰ひもを結ぶ。

ひもはしっかり結ぶ

❺ 着用完了。

❷ 未滅菌ガウンの外し方

❶ 襟ぐりを両手で左右に引いてちぎる。

❷ ガウンの内側が表になるように前面に垂らす。

❸ 腰のあたりを持ち、腰ひもを引きちぎる。

汚染を中に閉じ込める

POINT
- ガウンの外側に素手で触れないように、手をそでの中に入れてガウンを丸めていく。

POINT
- ガウンをたたむ際、ユニフォームにガウンが触れないように注意する。

❹❺ 内側が表になるようにガウンをたたみ、丸めていく。

❻ ガウンを小さくまとめ、そでを抜き、感染性廃棄物ボックスへ捨てる。

POINT
- 感染が広がる可能性があるため、使用後は着用したまま不用意に移動せず、その場で外し、破棄する。

CHAPTER 2

❸ ビニールエプロンの着用方法

ひもはしっかり結ぶ

❶ 襟ぐりを持って、頭をくぐらせる。
❷ 腰ひもを左右に開き、エプロンを広げる。
❸ そのままひもを背部に回し、腰の部分で結ぶ。
❹ 着用完了。

❹ ビニールエプロンの外し方

汚染部に素手で触れないよう注意

POINT

- 着用したまま不用意に移動せず、使用した場所ですぐ外し、その場で破棄する。
- 交差感染防止のため、1患者ごとに交換する。
- 処置後は、エプロンの表面が汚染されていると考える。目には見えなくとも、汚染の可能性がある部分には素手で触れないよう注意して外す。

❶❷ 襟ぐりの首の後ろを両手で持ち、左右に引きちぎる。

病院感染対策の実践

❸ エプロンの内側が表になるように、前面に垂らす。　❹❺ 腰部分を持ち、前方に引っ張るようにして腰ひもをちぎる。

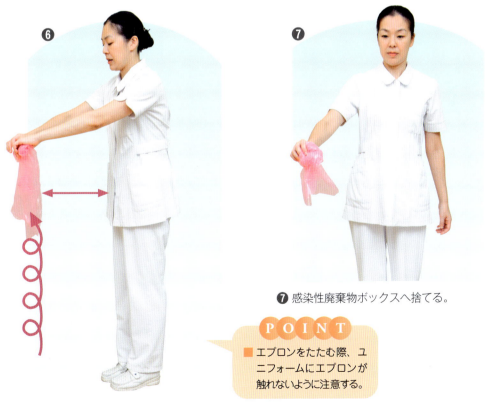

❻ エプロンの内側が表になるように、汚染を中に閉じ込めながら小さくたたむ。

❼ 感染性廃棄物ボックスへ捨てる。

POINT
- エプロンをたたむ際、ユニフォームにエプロンが触れないように注意する。

CHAPTER 2 個人防護用具

CHAPTER 2

ゴーグル・シールドの着脱方法

ゴーグルやシールドはスタンダード・プリコーションとして、血液・体液などの湿性生体物質が飛散する場合に、目や口・鼻の粘膜の曝露から医療従事者を守るために着用する。ディスポーザブルアイシールドの着脱方法を紹介する。

■ゴーグル・シールドの使用

ゴーグル・アイシールド	フェイスシールド
■ 目の粘膜が汚染される可能性のある時。	■ 目・鼻・口と、広範囲の粘膜が汚染される可能性がある時。※ゴーグルかアイシールドとマスクの併用でも可。

吸引・口腔処置・手術時などに使用。予想される曝露の程度や、使いやすさ、コスト面を考慮し選択される。

❶ アイシールドの着用方法

❶ 目を覆うようにして、着用する。

❷ 顔にフィットしているか確認し、調整する。

❷ アイシールドの外し方

❶ レンズ表面（フィルム部分）は汚染されているため触れないように注意し、耳にかかっているフレーム部分をつまんで外す。

❷ フィルム部分は感染性廃棄物ボックスに廃棄し、フレーム部分はアルコール含浸クロスで拭く。汚染・破損時は、感染性廃棄物ボックスに廃棄する。

CHECK!

- 飛沫曝露による目からの感染は、数多く報告されている。ハイリスクケアが行われる手術室、分娩室、内視鏡室、血管造影室、透析室では血液・体液飛散が多いと考えられるため、目の保護は重要である。
- アイシールド下部の白い部分の素材がマスクの不織布に絡みつくようになっており、マスクの上から押しあてるだけで装着できる製品もある。

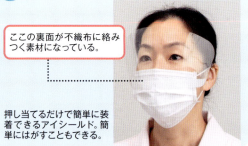

ここの裏面が不織布に絡みつく素材になっている。

押し当てるだけで簡単に装着できるアイシールド。簡単にはがすこともできる。

CHAPTER 2-3 滅菌物の取り扱い

滅菌物の不適切な保管は、滅菌を破綻させ、器具・器材の使用ができなくなるばかりでなく、再滅菌にかかる器具・器材への負荷も発生する。そのため、適切に保管する必要がある。

また、感染に留意するためには、「保管」だけでなく「使用前・中の注意事項」「使用後から片付けまで」の一連の正しい取り扱い方を確実に身につけることが重要である。

目的 ● 滅菌物の適切な取り扱い方を身につけ、不用意に不潔にさせないことで感染を防止する。

CHECK!
滅菌物取り扱いの注意点

- 滅菌物は床からの汚染を防ぐため、床から30cm程度距離を置き、結露による汚染や湿気を帯びる可能性のある場所(水分によって包装材のバリア性が維持できず滅菌破綻となる)は避け、扉付きの棚(埃が進入せず、清掃できる構造が望ましい)にパッケージを破損しないよう保管する。

- 保管棚の収納・払い出し手順を決め、「先入れ先出し(保管経過時間の長い物品から順に取り出す方法)」の原則を守るようにする。原則を守ると不要な破損や包装の劣化を防ぐことができる。また、定数管理を適切に行い(定期的に定数を見直すことを含む)、効率的な運用を行うようにする。

- 正しく滅菌されているかを確認するため、使用前に使用期限、パッケージの破損・汚染の有無、化学的インジケーター(CI: Chemical Indicator)の変色を確認する。

- 無菌性が破綻したとする現象には、①滅菌包装を開けた(開封した)時、②滅菌包装が破れた(破損した)時、③滅菌包装が濡れた時、④滅菌包装を濡れた手で取り扱った時、⑤滅菌物を床に落とした時が挙げられる。そのため、未使用であっても一度開封したディスポーザブル滅菌物は、不潔とみなし滅菌物としては扱わない。

- 無菌操作中の医療従事者は、口腔内の細菌を飛沫し滅菌エリアを汚染させないため、サージカルマスクを着用する。また、滅菌エリア上で物を移動させることも、不用意に汚染のリスクを増加させるため避ける。

- 滅菌物を取り扱う場所は、汚染や破損などの滅菌破綻のリスクを回避するため、周囲が不潔な場所や人の出入りが多い場所などは避ける。

CHAPTER 2

滅菌パックの開き方 3-1

完全な状態で供給された滅菌物であっても、滅菌パックは不備な管理により破損していたり、使用期限が切れていたりする可能性がある。そのため、使用前に確認を徹底する。また、滅菌パックの内容物に不潔な手が触れないよう、清潔操作に努める。

❶

❶ 手指衛生を実施する。

使用期限切れの場合、滅菌物として使用しない

❷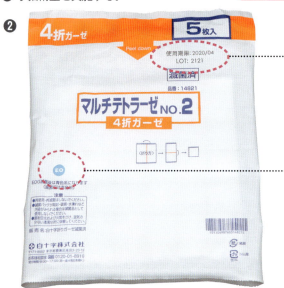

❷ 保管場所から滅菌パックを取り出し、使用期限、CIの変色、表裏ともにパッケージの破損・汚染の有無を確認する。

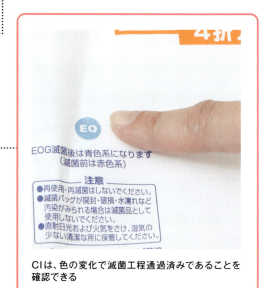

CIは、色の変化で滅菌工程通過済みであることを確認できる

CHECK! CIの色の変化

■ 滅菌物が定められた滅菌条件の行程を通ってきたかどうかの区別を見るもので、色の変化があることによって判断できる（CIについては、P.77参照）。

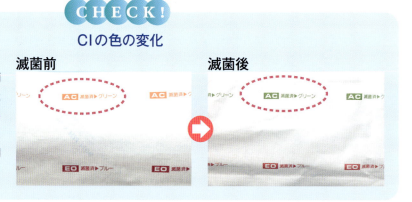

滅菌前 → 滅菌後

病院感染対策の実践

❸ パックの端を少しはがし、両手で把持して開く。

POINT
- ガーゼの端がつかめる程度に開く。
- パックを開きすぎると周囲に触れる面が増え、汚染の可能性が高まる。
また、パックの開け方が狭い場合は、処置者が取り出しにくい。
適切な幅に開くようにする。

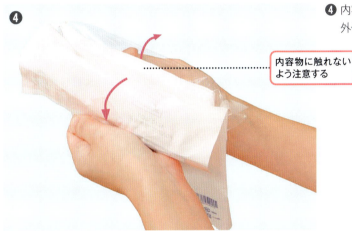

❹ 内容物に触れないよう、パックの端を両手で外側に折り返し、滅菌物を処置者に向ける。

内容物に触れないよう注意する

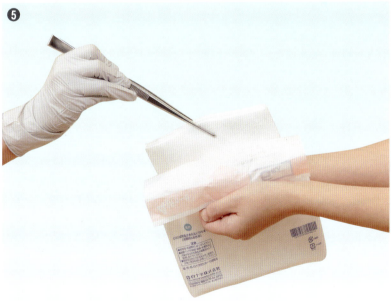

POINT
- 処置者が取りやすい角度に傾ける。
- 処置者は周囲の包装には触れずに、ガーゼのみを把持する。

❺ 処置者が取り出す際は、滅菌手袋、または滅菌鑷子を使用する（滅菌鑷子の取り扱いについてはP.38参照）。

CHAPTER 2 滅菌物の取り扱い

CHAPTER 2

滅菌鑷子の取り扱い

滅菌鑷子は、滅菌物の中でも使用後に洗浄し再使用する鋼製小物の代表でもあり、創傷部位の包帯交換や滅菌物を取り扱う際などに使用する。使用開始時の取り扱いは滅菌パックと同様である。

❶ 手指衛生を実施する。

❷ 保管場所から滅菌鑷子を取り出し、使用期限、CIの変色、表裏ともにパッケージの破損・汚染の有無を確認する。

ヒートシール部

❸ 鑷子の把持側からヒートシール部をはがす。滅菌パックを両手で開き、外側へ折り返す。

❹ 両側の折り返しを片手で把持し、鑷子の把持側1/3以内を持ち、上方向に取り出す。

POINT

- 取り出す際は、鑷子先端は閉じておく。先端を開いて取り出すと、周囲の物に触れ、不潔になりやすい。

POINT

1/3以内

鑷子の持ち方

- 鑷子の不潔範囲を必要以上に広げないために、鑷子の把持側1/3以内を持つ。
- 消毒綿球を把持した際は、常に鑷子の先端は下向きにする（鑷子の先端を上げると消毒薬が鑷子を伝って手側に流れ、再び下げると手側に流れた薬液が逆流し不潔なため）。
- 物を把持していない時は、先端が不用意に不潔にならないよう常に閉じて把持する。

物を把持しない時は先端を閉じる

滅菌手袋の着脱方法

侵襲の大きな処置の際には、単包化した滅菌手袋を使用する。滅菌手袋を着用し、無菌状態を維持しながら患者への処置を行うことで、外科的処置による医原性の感染リスクを低減させる。

❶ 滅菌手袋の着用方法

3-3

❶ 手指衛生を実施する。

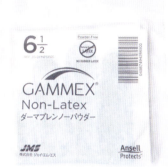

❷ サイズの合った滅菌手袋を選択し、使用期限、表裏ともにパッケージの破損・汚染の有無を確認する。

POINT
- 手袋に欠陥のある場合に備え、必ず手指衛生を実施する。
- 水分があると手袋を着用しにくい。手洗いをする際は、水分をよく拭き取る。

POINT
- 包み紙の内側は清潔区域になるため、触らない。

外側を持つ

❸ 滅菌パックの上部を開き、手袋の包みを取り出す。

❹ 包み紙の内側に触れないよう、外側を持って広げる。

滅菌部分（触れないよう注意する）
折り返し部分（触れてよい）

❺ 手袋下端の折り返し部分を持ち、手を挿入する。

❻ 折り返し部分を手首まで引き上げる。

CHAPTER 2

❼

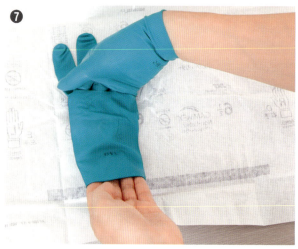

> **POINT**
> ■ 手袋の端をつかむと不潔である手に触れてしまうため注意する。

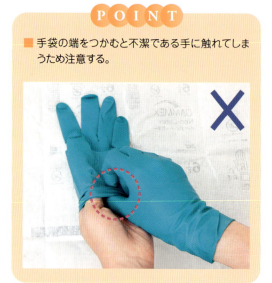

❼ 手袋を着用した手を、もう片方の手袋の折り返し部分に入れて取り出し、手を通す。

❽

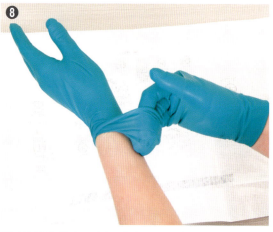

❾

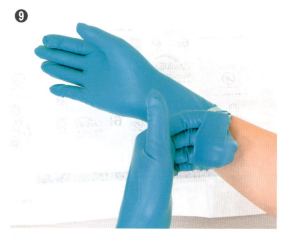

❽ 折り返し部分に手を入れたまま、手袋を引き上げる。

❾ 両手の折り返し部分を伸ばし、手首に密着させる。

❿

> **POINT**
> ■ 手袋の指先が余っていると、作業しづらいため、しっかり着用する。

⓫

❿ 両手を組み合わせて、指先にたるみが出ないよう、手に手袋をなじませる。

⓫ 待機の際は指先を上にして、体から離す。

病院感染対策の実践

❷ 滅菌手袋の外し方

❶ 手袋の手首あたりを把持する。

❷ 手首の部分でつかんだ手袋を指先に向けて引っ張り、手袋の内側が表になるように外す。

❸ 外した手袋を丸め、手袋着用側の手で持つ。手袋と手の間に指を入れ、汚染された部位が内側になるように外す。

❹ 外した手袋は感染性廃棄物ボックスへ捨て、直ちに手指衛生を行う。

Column 滅菌手袋を知ろう！

滅菌手袋は、手術や清潔野を必要とする処置の際に着用する。
着用の理由として、患者由来の微生物を曝露しないという目的の他に、医療従事者の手指の微生物を患者に曝露させないという目的もある。
ただ、手袋には未使用であっても小さな穴が空いている可能性があるため、手袋をしていれば曝露が防げるというわけではない。
そのため、滅菌手袋を外した後の手指衛生も必須となる。
また、処置中には容易に着脱できないため、処置を妨げないように自分の手袋のサイズを知っておくことも重要である。

CHAPTER 2

滅菌包の開き方

滅菌包とは、滅菌された処置に必要な鋼製小物を滅菌包布に包んでいるもので、中心静脈カテーテル挿入時や創傷処置時などに使用される。滅菌物を開封する前の確認は、滅菌パックの開き方と同様である。滅菌包は、広げるためのスペースを十分に確保し、準備しておくことが必要である。

❶ 手指衛生を実施する。

❷ 保管場所から滅菌パックに入った縫合セットと鑷子を取り出し、使用期限、CIの変色、表裏ともにパッケージの破損・汚染の有無を確認する。

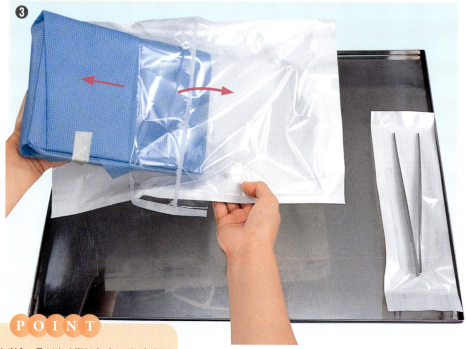

POINT
- 次の動作を考え、取り出す際は包布の端が手前にくるようにする。

❸ 滅菌包を広げるためのスペースをアルコール含浸クロスで拭いた後、滅菌パックを片側から開き取り出す。

❹❺ 包布の外側の端（三角部）を持ち、ゆっくりと開く。

❹

❺

> 開いた包布が戻ってこないようにしっかり開く

❻ 外側の包みを開いたら、鑷子を用いて残りの包布を開く（処置者が滅菌手袋を着用して開く場合もある）。

POINT
- 包布の内側は清潔区域であるため、誤って手で触れないようにする。

POINT
- 包布の上での滅菌物以外のやり取りは、不潔物落下の可能性を考え、禁止とする。
- 包布の内側に体が触れて不潔にならないよう、包布とは適度な距離をとる。

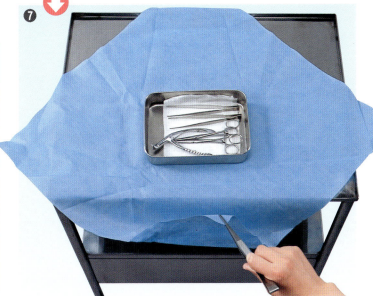

❼ 完全に包布を開く。

CHAPTER 2

4 血管内留置カテーテルの管理

血管内留置カテーテルは、直接血管に挿入するため、十分な感染予防対策を行わないと微生物が容易に体内に侵入し、血流感染を伴う。また、感染が成立した場合には重症化しやすい。このため、カテーテル使用の適応を見極め、適切な挿入法・維持管理を行うことが大切である。

目 的
1. カテーテル使用の適応を見極め、適切な挿入法・維持管理を行う。
2. 血流感染や合併症のリスクを低減する。

STUDY 血管内留置カテーテルの微生物侵入経路と要因

血管内留置カテーテルに微生物が侵入する主な感染経路としては、カテーテル挿入部や輸液ライン接続部の汚染、不適切な輸液管理による薬液の汚染がある。
微生物の侵入経路を遮断し、カテーテル挿入時およびケア時は無菌操作を厳守することが必要である。

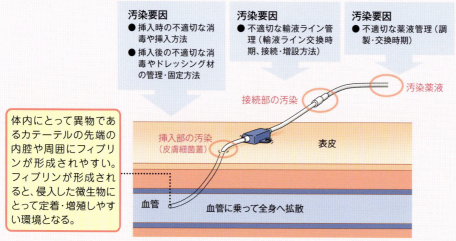

汚染要因
- 挿入時の不適切な消毒や挿入方法
- 挿入後の不適切な消毒やドレッシング材の管理・固定方法

汚染要因
- 不適切な輸液ライン管理（輸液ライン交換時期、接続・増設方法）

汚染要因
- 不適切な薬液管理（調製・交換時期）

体内にとって異物であるカテーテルの先端の内腔や周囲にフィブリンが形成されやすい。フィブリンが形成されると、侵入した微生物にとって定着・増殖しやすい環境となる。

点滴準備時の注意事項
1. 点滴の準備は点滴調製台で実施し、スペースを広くとる。
2. 手指衛生を行う。
3. 点滴の準備をする際は、サージカルマスクを着用する。
4. 点滴の準備や処置の準備をする前には、台の上を必ずアルコール含浸クロスで拭く。
5. 点滴調製台には、アルコール擦式消毒薬、針廃棄ボックスを置き、作業する際は十分活用する。

病院感染対策の実践

中心静脈カテーテル

中心静脈カテーテルは、患者の栄養管理や中心静脈圧（CVP：Central Venous Pressure）測定、抗がん剤投与などのために上・下大静脈に挿入される。必須でなくなった場合には、速やかに抜去する。

POINT
中心静脈カテーテル挿入時のケアのポイント

- カテーテル挿入時は無菌操作を徹底する。
- カテーテル挿入部位としては、感染予防の面からは鎖骨下静脈が推奨されるが、機械的合併症（気胸、鎖骨下動脈穿刺、血胸、カテーテルの誤挿入など）を考慮する必要がある。
  内頸静脈穿刺は、鎖骨下静脈穿刺に比べて固定が難しく、気道分泌物の汚染を受けやすいなどの理由から感染率は高いが、機械的合併症は低い。
  また、大腿静脈への穿刺は、下肢の動きにより挿入部位の固定がずれたり、陰部からの汚染を受ける可能性が高いため感染率が高く、深部静脈血栓症の危険性も高いため、ほかに方法がない場合に限定する。
- 挿入前にシャワー浴や清拭を実施し、できるだけ皮膚常在菌を減少させておく。
- ドレッシング材の交換は7日ごとに実施する。ドレッシング材が湿ったり、はがれたり、目に見える汚染がある場合は、その都度交換する。ガーゼを使用する場合は、2日ごとに交換する。
- 中心静脈ラインの刺し替えは定期的に行わない。
- マキシマル・バリア・プリコーション（滅菌手袋、キャップ、マスク、滅菌ガウン、大型の滅菌ドレープを使用しての予防策）は、カテーテル由来の菌血症を減少させる。

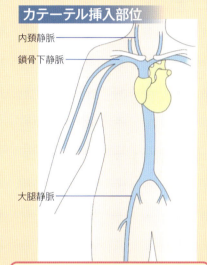

カテーテル挿入部位
- 内頸静脈
- 鎖骨下静脈
- 大腿静脈

カテーテルの挿入部位は、感染のリスクと機械的合併症のリスクを考慮して選択する。救急時の挿入など、無菌操作が確実でなかった場合には、感染が成立しないよう48時間以内にカテーテルを交換する。

カテーテル挿入の手順

4-1

❶ 医師が超音波（エコー）を使って血管の状態を確認し、患者に合った挿入部位を決める。

❷ 必要物品を準備する前やカテーテルを挿入する直前に、医師、介助する看護師は手指衛生を行う。

❸ 看護師は、手指衛生をした後、カテーテル挿入部位を清拭する。
カテーテル挿入前に、シャワー浴が可能であれば実施するとなおよい。
鼠径部から挿入する場合、除毛が必要であれば電動クリッパーを使用し、除毛後は清拭する。

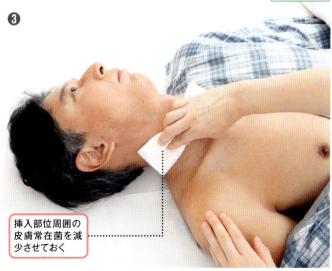

❸

挿入部位周囲の皮膚常在菌を減少させておく

CHAPTER 2

❹ 医師が、0.5％を超える濃度のクロルヘキシジンアルコールまたは10％ポビドンヨードで挿入部位を消毒する。
挿入部位から外側へ円を描くように広範囲に2回消毒した後、乾燥するまで待つ（2分以上）。

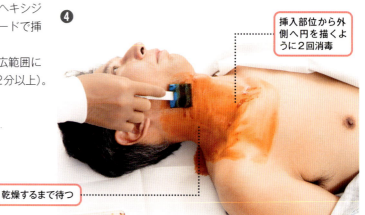

挿入部位から外側へ円を描くように2回消毒

乾燥するまで待つ

POINT
- 10％ポビドンヨードは、2分以上皮膚に接触させることで消毒効果がある。

マキシマル・バリア・プリコーション

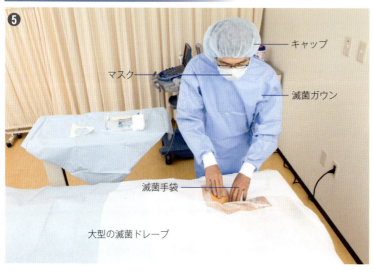

❺ キャップ
マスク
滅菌ガウン
滅菌手袋
大型の滅菌ドレープ

POINT
- マキシマル・バリア・プリコーションを病室で実施する場合の感染率は、手術室で手袋と小さなドレープを用いる場合よりも低い。
- マキシマル・バリア・プリコーションの遵守率を上げるために、必要物品の入ったキットを導入することも1つの方法である。

❺ 挿入時は、個室または清潔な処置室で実施する。
医師は滅菌手袋、滅菌ガウン、キャップ、マスクを着用し、大型の滅菌ドレープで患者の全体を覆うようにする（マキシマル・バリア・プリコーション）。
無菌操作でカテーテルを挿入する。

POINT
- ドレッシング材がはがれた時、汚染した時、異常がある場合は、直ちに交換する。

空気が入ると、破れて損傷しやすくなり、汚染の原因となる

❻ 滅菌フィルム型ドレッシング材を使用して、ドレッシング材の中心に挿入部がくるように固定する。

CHECK!
挿入部・輸液ライン管理における注意事項：中心静脈カテーテル

- 薬液の準備や輸液ラインを組み立てる際は、病棟内の人の通りが少なく、空気の乱れが生じない清潔区域で行う（高カロリー輸液と抗がん剤の調合は、薬剤部で無菌的に調合する）。
- 点滴調製台は、水周りに潜在する菌による汚染を防ぐため、水周りから1.5m以上離して設置する。作業前には、必ずアルコール含浸クロスで点滴調製台を拭く。

作業の前に、点滴調製台の上をアルコール含浸クロスで拭く

- 作業者はマスク着用のうえ手指衛生を実施し、未滅菌の清潔な手袋を着用する。

- ドレッシング材は、定期交換のほか、挿入部が汚染されたり、はがれたら、直ちに交換する。
  滅菌ガーゼ：発汗や滲出、皮膚に疾患がある場合に適している。2日ごとに交換する。
  フィルム型ドレッシング材：密封性が高く、挿入部の観察が容易である。7日ごとに交換する。
- 挿入部の消毒は、0.5％を超える濃度のクロルヘキシジンアルコールまたは10％ポビドンヨードで挿入部から外側へ円を描くようにする。消毒範囲はドレッシング材の大きさを目安にする。消毒後は、消毒薬をガーゼで拭き取らずに乾くまで待つ。
- 輸液ラインの交換は、7日ごとに行う。ただし、血液、血液製剤、脂肪乳剤を投与した輸液ラインは、汚染により微生物増殖を助長する可能性があるため、輸液が完了してから24時間以内に交換する。
- 輸液ラインは、あらかじめ治療上必要なルーメン数のものを用いる。

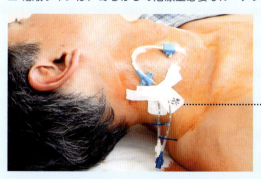
交換した日付を記入

- 挿入部の発赤、腫脹、疼痛の有無を毎日観察し、経過表に観察欄を設け記録する。
- 側入口から注入する場合は、単包アルコール含有綿で念入りに消毒する。

側入口から注入する際は、念入りに消毒

CHAPTER 2

末梢静脈内カテーテル

末梢静脈内カテーテルは、血管確保や輸液などのために挿入される、一般的な静脈カテーテルを指す。大血管への挿入ではないこと、短期間の使用であることが血流感染を起こしにくい理由の1つと考えられるが、症例数は少ないながらも全身性の血流感染の報告はある。管理方法を遵守のうえ、必須でなくなった場合には、速やかに抜去する。

POINT

末梢静脈内カテーテル挿入時のケアのポイント

- 下肢は、上肢に比べ、血栓性静脈炎のリスクが高く、局所皮膚常在菌の数が多いため、感染リスクは高い。したがって、できるだけ利き手でない上肢の静脈を選択する。
- ドレッシング材の交換は定期的に行う必要はないが、はがれたり汚染されたら交換する。
- 成人における血流への感染および静脈炎のリスクを減らすために、72〜96時間間隔より頻繁にカテーテル交換（刺し替え）をする必要はない。

カテーテル挿入の手順

❶ 手指衛生を実施し、その後に手袋（未滅菌）を着用する。

❷ 単包アルコール含有綿で挿入部位を中心から外側へ消毒する。

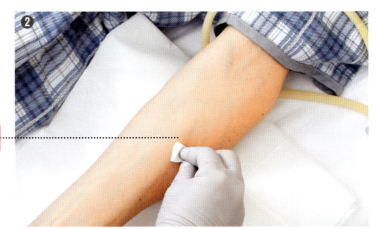

挿入部位を中心から外側へ消毒

❸ カテーテルを留置する場合は、挿入部が観察できるよう透明ドレッシング材と絆創膏を使用する。
挿入部を中心にしわができないようにドレッシング材を密着させて貼り、絆創膏で固定し、挿入した日付を記入する。

挿入部を中心にドレッシング材を密着させて固定

絆創膏に挿入した日付を記入

病院感染対策の実践

CHECK!
挿入部・輸液ライン管理における注意事項：末梢静脈内カテーテル

- 薬液の準備や輸液ラインの組み立ては、アルコール含浸クロスで拭いた点滴調製台の上で行う。

アルコール含浸クロスで拭いた処置台の上で行う

- 挿入部の消毒や輸液ライン交換の直前には手指衛生を実施し、その後に手袋（未滅菌）を着用する。
- 末梢ラインで持続点滴を実施している場合、輸液ラインの交換は、カテーテル交換に合わせて実施するとよい。カテーテルと輸液ラインの交換を別々に行うことは避ける。

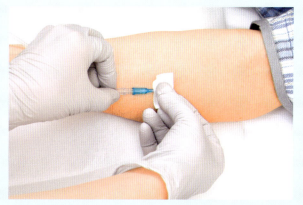

カテーテル交換（刺し替え）時に輸液ラインを交換

- シャワーの際は抜針する。

- ドレッシング材の定期的な交換は不要であるが、汗ではがれたり、水で濡れた場合、滲出や出血が見られた場合はいったんドレッシング材を除去し、必要に応じて交換するか、カテーテルを抜去する。
- 挿入部の観察（発赤、腫脹、滲出、排膿、熱感、疼痛）を行い、感染の有無をアセスメントする。疑わしい場合は、速やかにカテーテルを抜去する。

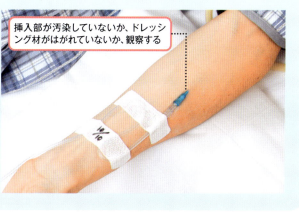

挿入部が汚染していないか、ドレッシング材がはがれていないか、観察する

CHAPTER 2

- 脂肪乳剤や血液製剤に使用したカテーテルと輸液ラインは24時間で交換する。
- 脂肪乳剤中の微生物は12時間以降に急激に増殖することが報告されており、特にプロポフォール製剤の場合、「プロポフォール及び使用したチューブ（輸液ライン）は、注入開始後12時間以内に完了（廃棄）あるいは交換すること」と添付文書に記載がある。

プロポフォール投与に使用したシリンジ

シリンジ交換から12時間以内に輸液ラインも交換する

- 側入口からの注入時は、単包アルコール含有綿で念入りに（ゴシゴシと）消毒する。

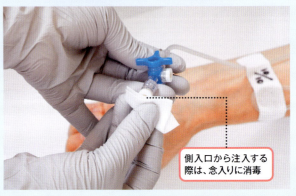

側入口から注入する際は、念入りに消毒

その他留意事項

1) 持続皮下注射の際は、針の刺し替えと輸液ラインの交換は7日ごとに行う。
2) ヘパリンロックや生食ロックを行う際は、あらかじめ薬液が充填されたプレフィルドシリンジを使用すれば溶液の汚染が起こらなくて済む。その場合も1患者1処置1施用とし、残液があっても破棄する。

ヘパリンロックを使う場合

プレフィルドシリンジ製剤

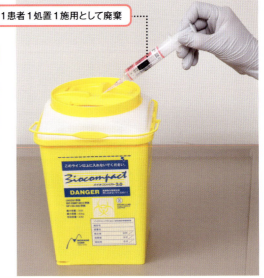

1患者1処置1施用として廃棄

POINT
プレフィルドシリンジの利点
① 微生物汚染や異物の混入の軽減
② 調製時、使用時の過誤のリスク減少
③ 救急使用時の迅速な対応が可能
④ 調製に伴う労働力の節減

CHAPTER 2-5 尿道留置カテーテルの管理

尿道留置カテーテル挿入に際しては、適応を十分にアセスメントする必要がある。適応があり挿入した場合は、留置そのものが尿路感染のリスクを伴うため、適切な管理を行い、できるだけ早期にカテーテルの抜去を考慮する。清潔操作を徹底し、微生物侵入経路に注意する。

目的
- カテーテル使用の適応を見極め、適切な管理と早期抜去を行う。

適応
1. 急性の尿路の閉鎖がある場合
2. 尿量の正確な測定を必要とする重篤な患者
   ※2週間以上留置している患者の重症度のアセスメントを行う（多くは急性期を脱している）
3. 泌尿器・生殖器疾患・全身麻酔を受けた術後の患者の治癒を促進する場合
4. 仙骨部に褥瘡形成がある場合
5. 骨盤骨折のような多発外傷があり、患者を長期に固定する必要がある場合
6. 末期患者の苦痛の緩和のため

STUDY 尿道留置カテーテルの微生物侵入経路と要因

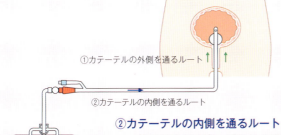

①カテーテルの外側を通るルート
②カテーテルの内側を通るルート

微生物が侵入しやすい経路は、以下の2つに分けられる。

①カテーテルの外側を通るルート
- 挿入時、膀胱内に菌が押し込まれて侵入
- 会陰や直腸に定着した菌が侵入

②カテーテルの内側を通るルート
- 接続部を外す際、手やその周囲に存在した菌がカテーテル内に侵入
- 集尿バッグの排出口が、床や汚染された容器に触れて菌が侵入
- 内腔ルートに形成されるバイオフィルム*による菌の放出

*バイオフィルムとは
細菌が自分の生存できる範囲を拡大・維持するために、カテーテルなどの異物表面や組織表面の周りに形成するバリアーのような状態をいう（例：掃除をさぼったぬるぬるした風呂）。バイオフィルムの表面からは細菌が絶えず尿中に放出され、増殖し、膀胱粘膜に侵入する。バイオフィルムは抗菌薬や白血球の貪食作用から細菌を守るため、抗菌薬が効きにくくなる。

- 6日以上カテーテルを留置した患者は、そうでない患者に比べて感染リスクは6倍以上である。
- 閉鎖式尿道留置カテーテルを使用しても、30日目には100％の患者に細菌尿が認められる。

CHAPTER 2

カテーテルの挿入 5-1

カテーテル挿入時に、尿道粘膜から微生物や細菌が侵入するリスクがあるため、清潔操作の徹底が必要である。

カテーテル挿入の手順

❶ 手指衛生を行う。

❷ 挿入前に可能な限り陰部の清拭や洗浄を行う。

❸ 尿道口の損傷を予防するため、可能な限り径の小さいカテーテルを選択する。
成人では12Frか14Frが望ましい。

❹ カテーテルを挿入したら、カテーテルが衣服や移動の際に引っ張られることによる尿道口の損傷を防ぐため、適切に固定する（女性の場合は大腿部内側に、男性の場合は陰茎陰嚢角への圧がかからないよう、カテーテルを臍部にむけて下腹部に固定）。

女性

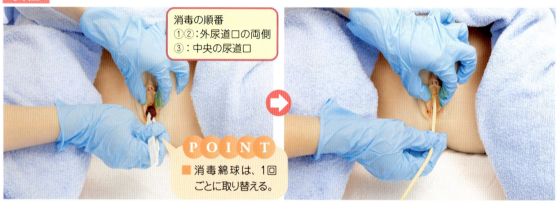

消毒の順番
①②：外尿道口の両側
③：中央の尿道口

POINT
■ 消毒綿球は、1回ごとに取り替える。

小陰唇を開き、外尿道口両側を前から後ろへ消毒する。最後に中央の尿道口を前から後ろへ丁寧に消毒する。

利き手ではない手で小陰唇を開き、潤滑剤のついたカテーテルが不潔にならないよう、静かに尿道口に挿入する。

男性

POINT
■ 消毒綿球は、1回ごとに取り替える。

尿道口から包皮に向かって消毒する。

CHECK!
■ 挿入時の尿道粘膜への刺激・損傷が、微生物の侵入に影響するため、静かに挿入する。

利き手ではない手で陰茎を90度程度に持ち上げ、尿道をまっすぐにし、潤滑剤のついたカテーテルが不潔にならないよう、静かに尿道口に挿入する。

病院感染対策の実践

カテーテル挿入中の管理 5-2

カテーテルを留置すること自体が尿路感染のリスクとなるため、挿入中は感染徴候を注意深く観察し、採尿時や排液時にも適切な管理が必要である。

陰部洗浄

手袋（未滅菌）を着用後、微温湯と石けんで陰部を洗浄する（消毒の必要はない）。
陰部洗浄は、清潔保持、不快感の緩和を目的に行う。

POINT
- カテーテルを引っ張ったりして、尿道粘膜を傷つけないよう、やさしく洗浄する。

集尿バッグの固定

集尿バッグは膀胱より下に固定し、排出口が床につかないようにする。

POINT
- 患者が移動する時も、集尿バッグを膀胱の位置より上にあげないように注意する。

EVIDENCE
- 集尿バッグを膀胱より上にすると、尿が逆流して細菌が膀胱内に入る逆行性感染のリスクがある。

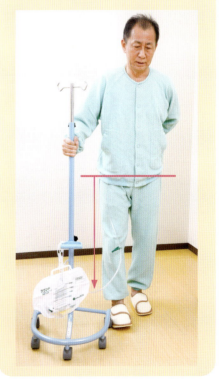

固定位置が高すぎる

バッグと膀胱の高低差により、尿が逆流する逆行性感染のリスクがある

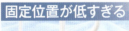
固定位置が低すぎる

床には細菌が多いため、バッグ、排出口を床につけない

CHAPTER 2 尿道留置カテーテルの管理

CHAPTER 2

カテーテルと導尿用チューブの接続

細菌の混入を防ぐため、カテーテルと導尿用チューブの接続部は外さない。
カテーテルとチューブの接続部があらかじめ接続されていたり、接続部シールで保護されている閉鎖式尿道留置カテーテルシステムを使用すれば、閉鎖を維持することができる。

CHECK!

接続部シールの意味

- カテーテルと集尿バッグのランニングチューブの接続部が、あらかじめ接続部シール（タンパーエビデントシール）で保護されている閉鎖式尿道留置カテーテルシステムを使用すれば、シールが破れていない限り、不意の離脱を予防できる。

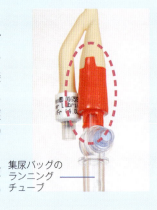
集尿バッグのランニングチューブ

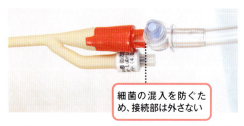
細菌の混入を防ぐため、接続部は外さない

入浴時も、カテーテルと集尿バッグを外さず、原則として集尿バッグのみの交換はしない。

EVIDENCE

- 抗生物質やポビドンヨードなどの消毒薬、または生理食塩水による膀胱洗浄には尿路感染の予防効果は認められていない。むしろ、耐性菌の増加をまねき、カテーテル開放により尿路感染リスクを高めることが指摘されている。
- 閉鎖式尿道留置カテーテルシステムを使用しても、30日目には100％の患者に細菌尿が認められるが、開放式カテーテルシステムを用いた場合（カテーテルと導尿用チューブの接続部を外した場合など）、カテーテル留置4日後にはほぼ100％細菌尿がみられる。

カテーテルの観察

カテーテル屈曲の有無、身体の下に敷かれていないかを観察する。
カテーテルが屈曲すると、尿の流出（膀胱から集尿バッグへ）がせき止められ、微生物が膀胱へ逆流する、逆行性感染のリスクとなる。
また、膀胱内に尿がたまり過ぎることによって、膀胱が過伸展するリスクがある。

カテーテルが身体の下で屈曲していると、逆行性感染のリスクとなる

POINT

カテーテルの適応を日々検討

- 平成28年より、尿道留置カテーテル抜去後の障害に関して、排尿ケアチームによる排尿自立指導料が診療報酬加算の対象となった。これにより、カテーテルの抜去や留置に代わる方法（間欠導尿やコンドーム型採尿具）が選択されるようになり、専門的な包括的排尿ケアへの追い風となった。

病院感染対策の実践

採尿ポートからの採尿

検査のために新鮮尿が少量必要な場合は、カテーテルの遠位端である採尿ポートから採尿する。

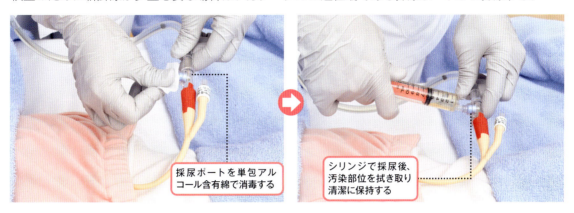

- 採尿ポートを単包アルコール含有綿で消毒する
- シリンジで採尿後、汚染部位を拭き取り清潔に保持する

排液時の管理

集尿バッグ内の尿の排液時は、尿が飛散する可能性があるため、手袋・ビニールエプロン・アイシールド・マスクを着用する。

交差感染を予防するため、手袋は患者ごとに交換し、手指衛生を行う。同様に、回収用のカップは使い回しをせず、患者ごとに破棄する。

POINT
- 尿が飛散する可能性があるため、手袋・ビニールエプロン・アイシールド・マスクを着用。

CHECK!
尿道留置カテーテル挿入中のシャワー浴
- 集尿バッグ内を空にして、バッグが濡れないようにビニール袋を用いて全体を覆う。
- カテーテルと集尿バッグの接続は外さない。カテーテルと集尿バッグを外すと、そこから菌が侵入する可能性がある。
- 膀胱より低い位置に保ち、クランプはしない。
- 集尿バッグが濡れると、細菌の温床になりやすい。また、通気フィルターの機能（集尿バッグ中の圧を調節して、集尿バッグ内への尿の流出を良好に保つ機能）が破綻し、尿がしみ出る可能性があるため、注意する。

CHECK!
- 集尿バッグに尿をためすぎないように注意する。尿をためすぎると、細菌の貯蔵庫となった集尿バッグ内の尿が膀胱側へ逆流し、逆行性感染のリスクとなる。

- 尿回収時は、集尿バッグの排出口が回収用カップに触れないようにする。
  排出口が汚染された容器に触れると、菌がバッグ内に入り、その中で増殖して逆行性に膀胱内に入るため、注意する。

排液時回収用カップ
排出口が回収用カップに触れないようにする

排出口が回収用カップに触れると逆行性感染のリスクとなる

CHAPTER 2 尿道留置カテーテルの管理

CHAPTER 2 – 6 呼吸器関連の管理

人工呼吸器やネブライザーなどの呼吸器関連機器は、水分で長時間湿っていることが多いため、水を好むグラム陰性桿菌による汚染を受けやすく、しばしば医療ケア関連肺炎の原因となる。そのため、衛生管理を徹底する必要がある。

また、医療ケア関連肺炎の感染経路には、呼吸器関連の機器によるものとは別に、ヒト‐ヒト間の水平伝播などもある。したがって、医療ケア関連肺炎の予防において、手指衛生などのスタンダード・プリコーションを遵守することも必須である。

目的
1. 呼吸器関連機器の衛生管理を徹底する。
2. スタンダード・プリコーションを遵守してヒト‐ヒト間の水平伝播を防ぐことにより、医療ケア関連肺炎の発生リスクを軽減させる。

STUDY 人工呼吸器管理中の微生物侵入経路と要因

医療ケア関連肺炎の中でも、人工呼吸器に関連した肺炎（VAP：Ventilator Associated Pneumonia）は以下の2つの主要なルートにより発生する。
① 内因性：患者の口腔、咽頭、胃、消化器内に定着した細菌の誤嚥によるもの。
② 外因性：人工呼吸器回路の汚染（例：ネブライザーなどから発生した汚染エアロゾルの吸入）によるもの。

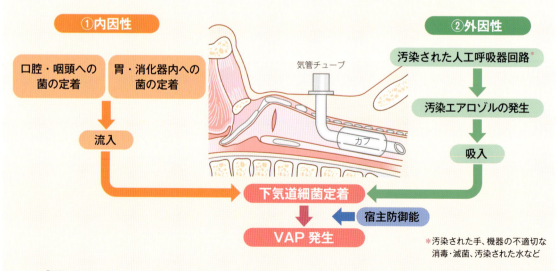

＊汚染された手、機器の不適切な消毒・滅菌、汚染された水など

「相馬一亥：オーバービュー―定義と疫学 危険因子，人工呼吸器関連肺炎のすべて（志馬伸朗編），p.4, 2010, 南江堂」より許諾を得て改変し転載。

病院感染対策の実践

人工呼吸器の管理

病院感染肺炎のうち、人工呼吸器に関連した肺炎（VAP）の発生は、関連しない場合と比較して著しく高い。

したがって、VAP発生予防のために人工呼吸器の管理方法の改善、患者の感染リスクの改善を図ることが重要である。

日常の管理

人工呼吸器の回路交換は、破損や、目に見える汚染がある場合に実施する。

交換時は必ず手袋を着用し、終了後は手指衛生を実施する。患者が吸入療法を行っている場合は、吸入薬によりフィルターが目詰まりを起こす可能性があるため、吸入薬の注意事項を遵守する。

人工呼吸器のバクテリアフィルターは、1日1回交換する。

交換の際、日付を記入する。

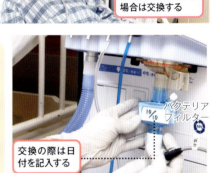

回路に破損や目に見える汚染がある場合は交換する

POINT

- バクテリアフィルターは、呼吸回路などに接続して、患者の加温・加湿、および細菌やウイルスの除去のために用いる。

交換の際は日付を記入する

CHECK！
ウォータートラップ付き回路の場合

- ウォータートラップ付きの回路の場合、回路内の結露が患者側に流入しないよう除去する。人工呼吸器回路内の結露は、患者の口腔や咽頭の細菌によって汚染されており、細菌が気道内へ逆流する危険があるためである。
  また、患者側に流入しないように、ウォータートラップは回路の一番低い位置になるよう配置し、ケアや処置、体位調整などのために回路を動かす場合には、結露が患者側に流入しないように注意する。
- ウォータートラップにたまった水は、半分になる前に排液する。
- 排液の際は、ウォータートラップを取り外している時間を最小にするために、使い捨て紙コップなどを使用し、回路のそばで行う。
  排液時には、必ず手袋を着用する。
- 結露を除去する際、医療従事者の手指衛生が不十分であると、手指由来の病原体によって人工呼吸器回路が汚染されてしまう。そのため、回路にたまった結露を除去する時は手袋を着用し、手袋を外した後は手指衛生を実施する。
- ウォータートラップ脱着時には、不完全な手技による接続不良により空気のリークなどのアクシデントが起きやすいため、注意する。

ウォータートラップにたまった水が患者側に流入しないように注意

ウォータートラップを外す時間を最小に

必ず手袋を着用

CHAPTER 2

人工呼吸器本体、ジャクソンリースは、メンテナンスを行う必要があるため、長期間使用する場合でも1か月に1回は交換する。

ジャクソンリース

CHECK!
インラインネブライザーの取り扱い

ネブライザーなどから発生した汚染エアロゾルの吸入により、VAPを発生する可能性がある。

インラインネブライザー

- 吸入後、残った薬液は破棄する。その際は手指衛生を実施したうえ、手袋（未滅菌）を着用し、インラインネブライザーの取り外し時間を最小にするために回路のそばで実施する。
- ネブライザーは、粘膜に直接または間接に接触する人工呼吸器関連物品であり、スポルディングの分類では「セミクリティカル器具」に分類されているため、高水準消毒や滅菌処理を行い、ディスポーザブルの製品の使用も考慮する。
- 閉鎖回路を保ち、VAPを予防するため、必要以上にインラインネブライザーを取り外さない。
- ネブライザーは同一患者に継続する場合でも、少なくとも24時間ごとに消毒を行う。
- インラインネブライザーの使用時は、8時間ごとにバクテリアフィルターを交換する。
- ネブライザーには滅菌された薬液のみを使用し、手袋（未滅菌）を着用のうえ、無菌的に分注する。ネブライザーの吸入用薬剤は、細菌汚染を予防するために作り置きはせず、使用のたびに用意することが望まれる。

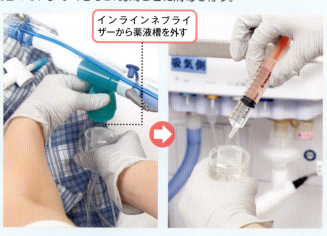
インラインネブライザーから薬液槽を外す

吸引時の管理

吸引操作時には患者の分泌物に曝露するリスクがあるため、個人防護用具(手袋、マスク、アイシールド、ビニールエプロン)を着用し、ベッドサイドに物品を適切に配置しておくとよい。医療ケア関連肺炎の予防のため、一連の操作を清潔操作で行う。

気管内吸引:閉鎖型吸引カテーテルを用いる場合 6-1

閉鎖型吸引カテーテルは、人工呼吸器に接続したまま換気を中断せずに吸引が行える。
また、カテーテルが閉鎖型で、人工呼吸器回路を外さないため、痰などの分泌物による周囲への汚染が少なく、低酸素血症や肺の虚脱などの合併症を回避できるという利点がある。

閉鎖型吸引カテーテル

EVIDENCE
- 吸引時に開放型吸引カテーテルを用いても、閉鎖型吸引カテーテルを用いても、VAP予防効果に差は認められていない。

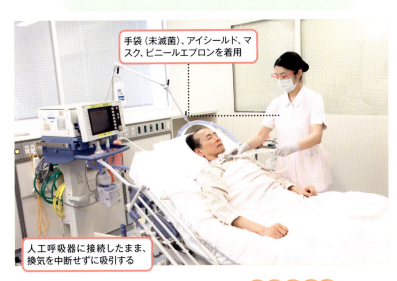

手袋(未滅菌)、アイシールド、マスク、ビニールエプロンを着用

人工呼吸器に接続したまま、換気を中断せずに吸引する

飛沫を浴びる可能性があるため、アイシールド、マスク、ビニールエプロンを着用する。
吸引の際は必ず手袋(未滅菌)を着用し、吸引の前後は手指衛生を行う。
閉鎖式吸引カテーテルは、1日1回交換する。

POINT
- 吸引の際は必ず手袋(未滅菌)を着用し、飛沫を浴びる可能性があるため、アイシールド、マスク、ビニールエプロンを着用する。
- カテーテルが閉鎖型で、人工呼吸器を外さずに吸引できるため、気道分泌物の飛沫が少ない。
- 閉鎖型は開放型に比べて吸引に要する時間が短いため、低酸素血症の予防にもつながる。

CHAPTER 2

気管内吸引：開放型吸引カテーテルを用いる場合 6-2

開放型吸引カテーテルは閉鎖型に比べて安価であるが、不十分な手指衛生で吸引カテーテルを扱うと、呼吸器回路や吸引物品を汚染させる可能性がある。開放型吸引カテーテルを使用する場合は、滅菌された製品を用いて、1回の吸引ごとに破棄する。

吸引前後は手指衛生を行う。

吸引時は、原則として清潔な手袋を使用し、ビニールエプロン、マスク、アイシールドを着用する。

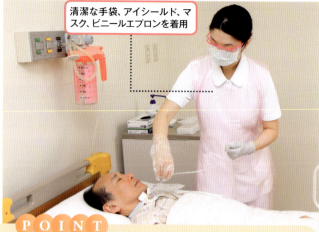

清潔な手袋、アイシールド、マスク、ビニールエプロンを着用

POINT
- 清潔な手袋は、カテーテルを持つ利き手だけ着用すればよい。
- この場合の清潔な手袋とは、既滅菌手袋（開封後、清潔に保管されたもの）を指す。

CHECK!
開放型吸引カテーテルの取り出し・接続時の注意点

吸引カテーテルを開封し、取り出す際は、無菌操作を徹底する。

❶

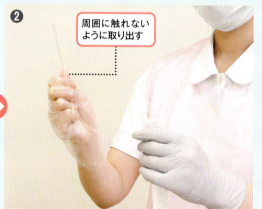

❷ 周囲に触れないように取り出す

❶❷ 開封後、カテーテルが周囲に触れて不潔にならないように注意しながら取り出す。

❸ 吸引カテーテルと吸引チューブをしっかりと接続する。この際も、吸引カテーテルが周囲に触れないように注意する。

❸ 周囲に触れないように接続

病院感染対策の実践

開放型吸引カテーテルは、1回使用するごとに以下のように廃棄する。

❶ 使用済の吸引カテーテルを清潔な手袋側の手に巻きつけ、裏返して内側に収納する。

❷❸ 丸めた清潔な手袋を反対の手で持ち、手袋（未滅菌）を裏返して収納し、廃棄する。

CHECK!

- 吸引カテーテルは直接気道粘膜に接する器具であるため、中〜高水準の消毒（セミクリティカル器具分類 P.70参照）が必要になるが、チューブの内腔が細く、洗浄や消毒が困難なため、ディスポーザブルのものが推奨される。

口腔内吸引　6-3

上気道（口腔・鼻腔・咽頭・喉頭）には常在菌が存在するのに対し、それより下の下気道は原則として無菌状態である。そのため、気管内吸引は無菌的に行うのに対し、口腔・鼻腔内吸引では原則として無菌的に行う必要はない。しかしながら、清潔を保持するとともにスタンダード・プリコーションに努める必要がある。

吸引前後は手指衛生を行う。
飛沫を浴びる可能性があるため、手袋（未滅菌）、アイシールド、マスク、ビニールエプロンを着用する。

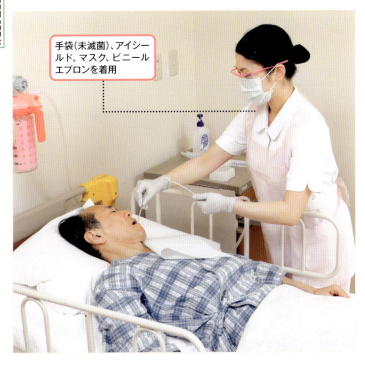

手袋（未滅菌）、アイシールド、マスク、ビニールエプロンを着用

CHAPTER 2

口腔内吸引に使用したカテーテルは、1回使用するごとに廃棄する。

使用済の吸引カテーテルを手に巻きつけ、手袋を裏返して内側に収納する。

丸めた手袋を反対の手で持ち、手袋を裏返して収納し、廃棄する。

洗浄用水は、必要な分量だけ用意する

POINT
- カテーテル洗浄用の水は、細菌培養の温床になることを念頭におき、使用するカップや水はその都度用意して廃棄することが望ましい。
- 再使用する場合には、交換頻度などのルールを設定する。

吸引ビン

吸引ビンは、患者ごとに交換する。使用後の吸引ビンは中身を破棄したうえ、中央滅菌材料室に返却する。
洗浄時はアイシールド、マスク、ビニールエプロン、手袋（未滅菌）を着用し、1日に1回、ベッドパンウォッシャーで洗浄する。

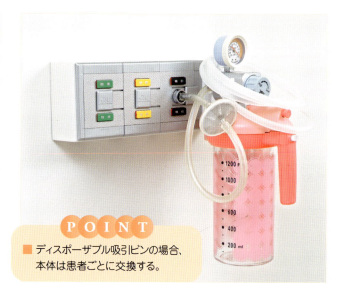

POINT
- ディスポーザブル吸引ビンの場合、本体は患者ごとに交換する。

気管切開部の管理

気管切開部には、発赤を含めた感染徴候や肉芽など様々な皮膚トラブルが生じやすい。適時観察するとともに、気管切開部周囲の皮膚状態に合わせた処置方法を検討する必要がある。

気管切開部のガーゼは、出血や滲出液が多くなければ、必ずしも必要というわけではない。必要時の使用とし、ガーゼが汚染した時は細菌の温床とならないよう速やかに交換する。また、気管切開カニューレの交換頻度は2週間を目安とする。

酸素吸入器の管理

酸素自体は微生物汚染を受けないが、患者自身や医療スタッフの手指などから酸素マスク、経鼻カニューレが微生物汚染を受ける可能性がある。人工呼吸器回路の管理と異なり無菌性を要求されるわけではないが、定期的に交換し、肉眼的汚染がある場合も交換する必要がある。

滅菌精製水を加湿する場合

開封時の日付を記入

酸素湿潤器で加湿する際には、滅菌精製水を用いる。酸素湿潤器がリユース製品の場合で、加湿用の水を継ぎ足す際は、微生物の混入や繁殖の可能性があるため、容器に残った水を廃棄し、容器をよくすすいだうえで無菌的に滅菌精製水を注ぐ。ディスポーザブル閉鎖式加湿器の場合は、開封時の日付をボトルの側面のよく見えるところに記入し、開封後の使用期限は6か月とする。

気管切開時の酸素投与方法

人工鼻は1日1回交換する。
汚染された時は、その都度交換する。

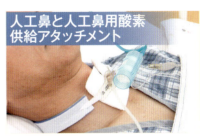

人工鼻と人工鼻用酸素供給アタッチメント

POINT
- 人工鼻は、患者の呼気に含まれる湿度を閉じ込めることで、呼吸器回路内を乾燥状態に保つ機能がある。不具合や肉眼的汚染が認められた場合に交換する。ただし、販売メーカーにより交換頻度が決められている場合はそれに従う。

トラキマスク

トラキマスク使用時は、着用状態（マスクのずれや固定の緩みなど）を観察し、気管切開カニューレの閉塞に注意する。

CHAPTER 2

ネブライザー式高流量酸素投与時の管理

人工気道留置中患者の酸素療法時、人工呼吸離脱後や全身麻酔後など、高流量システムを使用した十分な加湿が必要な時がある。
加湿のための水や回路の蛇腹などが微生物汚染した場合には感染源となるため、適切な管理が必要である。

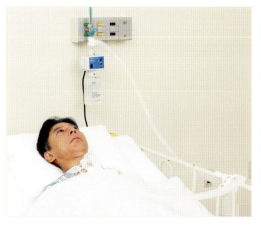

CHECK!

- ネブライザー式高流量酸素投与時の加湿は、霧吹き原理を利用して行われている。この際、エアロゾルを生成するため、用いる水が細菌汚染を受けていると、エアロゾルとともに細菌が噴出するので、注意が必要となる。最近は、加湿水がディスポーザブルになっている製品が増えている。

滅菌精製水を加湿する場合の注意点は、酸素吸入器と同様である（P.63参照）。

蛇腹・マスク・アダプター類の管理

長期使用患者の蛇腹、マスクは1週間に1回交換する。
アダプターは1か月に1回交換する。
流量計、加温器は使用後、速やかに物品管理室へ返却する。
ウォータートラップ（加湿時のみ）は使用後、速やかに中央滅菌材料室へ返却する。

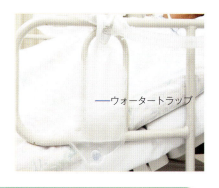
ウォータートラップ

超音波ネブライザーの管理

超音波ネブライザーは、超音波振動子の振動を利用して薬を霧状にするため、肺胞レベルでの加湿・薬剤投与が必要な場合が適応となる。呼吸器官に薬剤や水分が直接吸入されるため、安易に取り扱うと感染リスクや薬剤の副作用を引き起こす危険がある。清潔な状態で、1人につき1台使用する。

薬液カップ内に使用する薬液の残液は使用後破棄し、できるだけ乾燥させ、24時間ごとに消毒する。

薬液カップ下の作用槽には注射用水を使用し、毎日交換する。
本体は3日に1回中央滅菌材料室へ返却し、消毒済みのものと交換する。
蛇管、マスク、トラキマスクは1日で破棄し、患者間の使いまわしはしない。
1日で破棄できない場合には、患者ごとまたは24時間ごとに100ppmの次亜塩素酸ナトリウムで1時間の浸漬後、水洗いをして乾燥させることが必要である。ネブライザーはエアロゾルを生成するため、微生物汚染を受けた場合、微生物を含有するエアロゾルが噴出されて、感染症発症の危険性が高まるため、注意する。

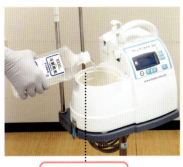

注射用水を使用し、毎日交換する

その他機器の管理

ハンドネブライザーのし管

ハンドネブライザーのし管を1日に複数回使用する場合は、使用ごとにディスポーザブル滅菌カップに保管し、1日で廃棄する。

し管

使用ごとに保管し、1日で廃棄する

ディスポーザブル滅菌カップ

吸入薬

吸入薬は、できる限り使用する直前に準備し注入する。

POINT

- 吸入薬を準備してから投与までに時間がかかると、微生物が混入していた場合、より繁殖・増殖するリスクが高まる。
また、吸入薬自体が長期間にわたる分割使用により微生物汚染を受けることがあるため、使用期限を設け、無菌操作と冷蔵保存を徹底する。

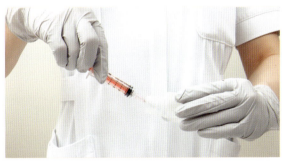

挿管セット

使用後、または未使用でも1か月ごとに中央管理センターへ返却し、新しいもの（消毒とメンテナンス済みのもの）と交換する。

挿管セット

CHAPTER 2 - 7 創傷の管理

手術部位感染（SSI：Surgical Site Infection）は、手術操作の加わった深部臓器や体腔を含め、手術中に汚染を受けて一時閉鎖した手術部位の感染をいう。

SSIの危険性を減らすためには、SSIに関する要因、感染予防ケアを理解し、組織的で実践的な対策を行うことが重要である。

目的
1. 手術部位感染の危険性を減らす。
2. 手術部位感染に関する要因、感染予防ケアを理解し、実践する。

適切な除毛

手術に支障をきたす体毛以外は、原則として除毛しない。カミソリによる除毛は皮膚に小さな創ができ、感染のリスクを高めるため、除毛には電動クリッパーを使用する。電動クリッパーは全身の除毛が可能であり、刃はディスポーザブルのため、患者ごとに新しい刃に交換する。

電動クリッパー

除毛のタイミング
- 手術直前に行うことが望ましい。
- 直前に除毛できない場合は、少なくとも手術前日までに行う。
- 除毛に関係なく、手術前日は入浴する。

STUDY 除毛とSSI発症の関係

やむを得ず除毛する場合は、手術に支障をきたす体毛のみ、電動クリッパーで除毛する。
また、除毛した際に傷ついた皮膚に、皮膚の常在菌が付着・増殖し、感染を引き起こすリスクとなるため、手術直前に除毛することが望ましい。

■SSI発症率

剃毛なし	0.9%
電気クリッパー除毛	1.4%
剃刀剃毛	25.0%

■術前剃毛時間ごとのSSI発症率

手術直前の剃刀剃毛	3.1%
手術前24時間以内の剃毛	7.1%
手術前24時間以上の剃毛	20.0%

病院感染対策の実践

術創の管理

手術創の処置前後には手指衛生を実施し、処置時には手袋（未滅菌）を着用し、無菌操作で行う。

❶ 術後48時間以内は、創傷被覆材で保護する。
術後48～72時間経過すると皮膚は癒合し、皮膚表面から細菌汚染される心配はなくなる。
この間は、滲出がある場合、感染が疑われる場合以外は、被覆材の交換は行わない。
❷ 創傷の観察前には必ず手指衛生を行う。
1つの処置ごとに手指衛生を徹底する。
切開部からの滲出液の有無と性状を含めた感染徴候に注意して創部の観察を行う。

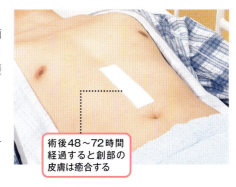

術後48～72時間経過すると創部の皮膚は癒合する

POINT
感染徴候の観察ポイント
- 疼痛、局所の圧痛・発赤・熱感・腫脹
- 滲出液の量や性状
- ドレーンがあれば、排液の量や性状

POINT
1処置1手洗いの徹底
- 接触予防策の対象となる菌の定着の有無にかかわらず、スタンダード・プリコーションの観点からも、創処置時には手袋着用と手指衛生の徹底が推奨される。

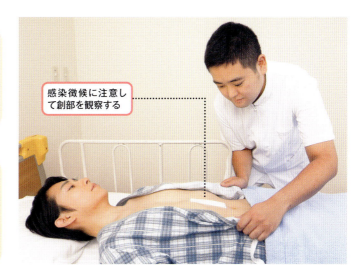

感染徴候に注意して創部を観察する

❸ 滲出液が多く、ドレッシング材の交換が必要な場合は、必ず手袋を着用して行う。
患者に使用されたガーゼ、包帯などは素手で触れないことを徹底する。
処置ガーゼや綿球が残ったら廃棄する。

使用したガーゼ、包帯などは素手で触れない

POINT
- 開封済の滅菌された鋼製小物は、一連の処置の間は清潔なものとして使用できるが、その処置の終了後は、未使用であっても中央滅菌材料室にて洗浄・再滅菌の必要がある。
- 処置中に不足物品などを取りに行く際にも、必ず手指衛生を実施する。

CHAPTER 2

排液ボトル・ドレーン管理

術後の患者には、血腫の形成を予防するため、ドレーンが留置される。
血腫が形成されると細菌繁殖の培地となり、感染を引き起こす可能性が高まる。
さらに、腫脹により疼痛が増強する恐れがある。
ドレーン挿入中は、挿入部からの感染、排液ルートを通じての逆行性感染に注意する必要がある。
また、排液を回収する際は、周囲の環境を汚染しないように注意する。

■閉鎖式ドレナージ

閉鎖式ドレナージには、受動的なドレーン（外部からの力を利用しない方法）と能動的なドレーン（吸引器に接続して陰圧をかける方法）がある。

受動的なドレーン

多くの手術で使用する。
腹圧や重力を利用して排液するため、体より低い位置に設置する。

利点：比較的安価。
注意点：ドレナージ不良になることがある。
　　　　瘻孔化しにくい。

トップGボトル®
ハナコドレーンバッグ®

能動的なドレーン

吸引器に接続し、陰圧を利用して強制的に排液させる。

利点：瘻孔化しやすい。
　　　効率的にドレナージできる。
注意点：組織吸引にて臓器損傷などを起こすことがある。

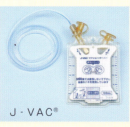
J-VAC®

SBバック®

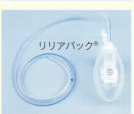
リリアバック®

ハマサーボドレイン®

CHECK!

■ ボトル内の排液回収頻度は1日1回以上もしくは容器の半分以上になった場合（低圧持続吸引システムの場合は陰圧がかからない状況になった場合、容器がいっぱいになった時）とする。
また、交差感染を防ぐため、回収容器は使い回ししない。

料金受取人払郵便

麹町局承認

6718

差出有効期間
2025年9月19日
まで

郵便はがき

1028790

102

東京都千代田区飯田橋
2-14-2

(株)インターメディカ
出版部行

ふりがな		性別	男・女	年齢	
お名前					歳
ご住所	〒　-　　　　メールアドレス：				
ご職業		勤務先			
お買上書店名					

※お寄せいただいた個人情報につきましては、DMなど宣伝活動以外、いっさい使用いたしません。

新訂版 写真でわかる 看護のための感染防止 アドバンス
愛読者カード

ご愛読ありがとうございます。今後の企画の参考にさせていただきますので、アンケートに、ぜひご協力をお願いいたします。

■ **本書をご購入いただいた理由をお聞かせください。**

■ **本書についてのご意見をお聞かせください。**

■ **本を購入されるとき参考になさるものをお聞かせください。**
1. 広告　　2. 著者名　　3. 書評・紹介記事　　4. 実物を見て
5. インターネットを見て　　　　6. 職場・学校での評判
7. その他（　　　　　　　　　　　　　　　　　　　　　　）

■ **本書の中で参考になった項目を下記よりお選びください。**
　（複数回答可）
1. 病院感染対策の基礎
2. 病院感染対策の実践
   手指衛生 ／ 個人防護用具 ／ 滅菌物の取り扱い ／ 血管内留置カテーテルの管理
   尿道留置カテーテルの管理 ／ 呼吸器関連の管理 ／ 創傷の管理 ／ 洗浄・消毒・滅菌
   環境整備 ／ 感染性廃棄物の処理 ／ 細菌培養検体の採取方法
3. 職業感染対策
   針刺し防止対策 ／ 血液汚染事故時の対応 ／ 職員抗体検査とワクチン接種
4. パンデミックに備えた医療機関における感染対策

■ **今後ご覧になりたいテーマを、お聞かせください。**

ご協力ありがとうございました。

Google 社短縮 URL サービス終了に伴う 当社書籍 Web 動画の視聴方法に関するご案内

本書掲載の QR コードは、Google 社の短縮 URL サービスを利用して作成しておりますが、Google 社のサービス終了に伴い、2025 年 8 月 25 日以降は本書籍の QR コードが無効となる見込みです。皆様には多大なご迷惑をおかけし、誠に申し訳ございません。

本書籍の Web 動画につきましては、弊社ホームページの特設ページより、全動画をご視聴いただけます。下記にアクセスいただきますと、すべてご視聴いただけます。

Web 動画視聴特設ページ　https://www.intermedica.co.jp/video

こちらからご視聴いただけます⇒

※各書籍の「Web 動画の視聴方法」ページ、および上記特設ページ内に記載されたパスワードを入力してご視聴ください。

ご不明な点がございましたら、弊社販売部までご連絡ください。
今後も皆様のお役に立つ書籍づくりに努めてまいりますので、引き続きご愛顧賜りますよう何卒よろしくお願い申し上げます。

2025 年 1 月
株式会社インターメディカ　販売部
TEL：03-3234-9559　FAX：03-3239-3066
e-mail：info@intermedica.co.jp

ドレーン管理

① ドレーンルートの屈曲・閉塞に注意し、排液が流れるようにする。
　身体の下で屈曲していると、創部に圧がかかり、逆行性感染のリスクとなるうえ、ドレーンに機械的な障害を与える可能性がある。ドレーン挿入部から排液バッグまで、ルートをたどり、屈曲や閉塞がないことを確認する。

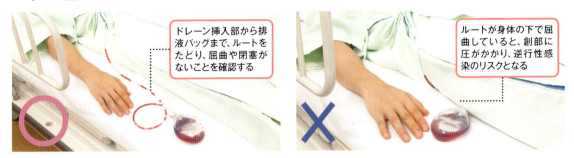

② 逆流防止弁付きや陰圧のかかる排液バッグが用いられることもあるが、基本的には、バッグは挿入部より低い位置に置く。
　特に自然排液する場合は、排液の逆流による逆行性感染に注意。

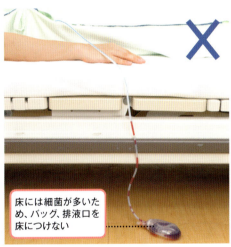

排液の回収

排液回収時は手袋、必要時ビニールエプロン・アイシールドを着用する。
排液の廃棄は、排液バッグの排液口と排液回収容器を接触させないよう清潔に行う。

CHAPTER 2 - 8 洗浄・消毒・滅菌

病院感染対策において、洗浄・消毒・滅菌は、安全な医療を提供する原点である。

洗浄・消毒・滅菌に関する正しい知識を持ち、様々な医療器具・機器、または環境がもつ感染リスクの大きさに応じて、そこからどの程度にまで微生物を減らせば安全かを決定することが重要である。

目的
1. 器材の洗浄・消毒・滅菌について、正しい知識を持ち適切に対処する。
2. 感染成立の因子となる微生物の存在と、感染の伝播経路を断つ。

■洗浄・消毒・滅菌の定義

洗浄：対象物から汚れや有機物などを物理的に除去すること。

消毒：対象から細菌芽胞を除くすべての（多くの）病原体を殺滅すること。

滅菌：細菌芽胞を含むすべての微生物を殺滅しようとする行為。

■医療器具の分類と処理方法

スポルディング（E.H.Spaulding）の分類では、使用済み医療器具を使用目的・用途によって取り扱いや滅菌・消毒の方法を3つのカテゴリーに分類している。

スポルディングの分類

器具分類	用途	方法	例
クリティカル器具（critical items）	無菌の組織や血管に挿入するもの	洗浄と滅菌を行う	手術用器具、循環器または尿道留置カテーテル、移植埋め込み器具、針など
セミクリティカル器具（semi-critical items）	粘膜または健常でない皮膚に接触するもの	洗浄と中〜高水準消毒を行う	呼吸器系療法の器具や麻酔器具、軟性内視鏡、喉頭鏡、気管内挿管チューブ、体温計など
ノンクリティカル器具（non-critical items）	健常な皮膚とは接触するが、粘膜とは接触しないもの	洗浄のみまたは洗浄と低水準消毒を行う	ベッドパン、血圧計のマンシェット（カフ）、松葉杖、聴診器など（ベッド柵、テーブルなど環境表面を含めてノンクリティカル表面という）

洗浄

洗浄とは、対象物から汚れや有機物などを物理的に除去することである。汚れや有機物があると、消毒剤を非活性化したり、微生物を消毒や滅菌から保護することになるため、消毒や滅菌が無効になることがある。洗浄なくして、消毒・滅菌は適切に行えない。

洗浄処理

通常は、水やブラシでこするなどの物理的作用に加えて、洗剤やアルカリ系・酵素系洗浄剤での洗浄が行われている。洗浄効果に影響を与える要素として、汚れや微生物による汚染の程度、対象の物理的形状（機器の隙間、蝶番、管腔など）がある。

化学的作用	**酵素系洗剤や洗浄剤による洗浄：** 洗浄剤を用い、界面活性剤の働きで汚れを落とす。 酵素系洗浄剤を使用する際は、酵素の効力を十分発揮させるため、適切な温度および規定された適切な希釈濃度で使用する必要がある。	
物理的作用	**自動洗浄機による洗浄：** 作業者の汚染曝露、周囲環境の汚染拡大を防止することができる。 	**ウォッシャーディスインフェクターなどによる洗浄：** 高温洗浄によって、病原微生物による感染性は消失させることができるが、滅菌水準には達することはできない。 **超音波洗浄機による洗浄：** キャビテーションといわれる細かい泡が破裂した力で汚れを落とす。用手では落とせないような隠れた部分の汚れを取り除き、器械の表面に付着する微生物やパイロジェン（発熱物質）などを除去する。
	用手による洗浄： 流水下でブラッシングにより、汚れを除去する。壊れやすい微細な器具や、内腔があるなど、その構造上の理由や設備上の理由で自動洗浄機を使用できない場合には、用手洗浄を行う。	

洗浄時の注意

- 手で洗浄する際は、専用の流し台を決め、作業者はマスク、防水ガウン、手袋（未滅菌）、アイシールドを着用する。
- 器材に付着した血液や汚れが乾燥すると、血液凝固やタンパク質が固まって洗浄が困難となり、腐食やさびの発生にもつながるため、速やかに処理する。
  速やかに汚染を除去できない場合は、水や酵素系洗剤に浸したり、洗浄用スプレーを使用する。

CHAPTER 2

消毒

消毒とは、対象から細菌芽胞を除くすべての（多くの）病原体を殺滅することである。

日本薬局方では、「生存する微生物の数をへらすために用いられる処置法で必ずしもすべてを殺滅したり除去するものではない」と記されている。

■消毒薬使用にあたっての基本的注意事項

① 消毒する前に有機物（血液、体液、排泄物など）を洗浄し、取り除くことが重要である。

② 消毒薬同士の混合はしない（ただし、エタノールは除く）。

③ 使用時に調整し、速やかに使用する。

④ 適正濃度・時間を正しく守る。

⑤ 微生物の再汚染を防止するために、十分な乾燥を行う。

■消毒薬の分類

消毒薬は、処理可能な微生物の分類から、大きく3つに分類できる（スポルディングの分類）。

分類	一般名	商品名
高水準消毒薬 芽胞が多数存在する場合を除き、すべての微生物を死滅させる	フタラール 過酢酸 グルタラール	ディスオーパ アセサイド ステリハイド
中水準消毒薬 結核菌、栄養型細菌、ほとんどのウイルス、ほとんどの真菌を殺滅するが、必ずしも芽胞を殺滅しない	次亜塩素酸ナトリウム エタノール イソプロパノール ポビドンヨード ポビドンヨード・エタノール クロルヘキシジン・エタノール クロルヘキシジン・イソプロパノール	バイゲンラックス ミルクポン エコ消エタ 消毒用イソプロパノール ヒシヨード イソジンスクラブ イソジンゲル イソジンガーグル イソジンフィールド ステリクロンRエタノール ヒビスコールA ヒビスコールSジェル クロルヘキシジンアルコール
低水準消毒薬 ほとんどの細菌、数種のウイルス、数種の真菌を殺滅するが、結核菌や細菌芽胞などは殺滅しない	第4級アンモニウム塩 クロルヘキシジン 両性界面活性剤	ザルコニン（塩化ベンザルコニウム） ステリクロンW液 コンクノール

※必要とされる以上のレベルで滅菌・消毒を行っても、労力や経費の無駄であり、かえって有害な対策となる場合もある。特に高水準消毒薬は、生体毒性があることから、使用環境の整った場所でのみの使用が推奨される。

病院感染対策の実践

■微生物別に対する消毒薬の殺菌効果

○：有効　△：効果弱い　×：無効

分類	消毒薬	一般細菌	緑膿菌	結核菌	真菌	芽胞	一般ウイルス
高水準消毒薬	フタラール	○	○	○	○	○	○
	過酢酸	○	○	○	○	○	○
	グルタラール	○	○	○	○	○	○
中水準消毒薬	次亜塩素酸ナトリウム	○	○	○	○	△	○
	消毒用エタノール	○	○	○	○	×	○
	消毒用イソプロパノール	○	○	○	○	×	○
	ポビドンヨード	○	○	○	○	×	○
低水準消毒薬	第4級アンモニウム塩	○	○	×	△	×	×
	クロルヘキシジン	○	○	×	△	×	×
	両性界面活性剤	○	○	△	△	×	×

■使用目的別消毒薬の選択

○：有効　△：効果弱い　×：無効

分類	消毒薬	環境	金属器具	非金属器具	手指皮膚	粘膜	排泄物
高水準消毒薬	フタラール	×	○	○	×	×	△
	過酢酸	×	○	○	×	×	△
	グルタラール	×	○	○	×	×	△
中水準消毒薬	次亜塩素酸ナトリウム	○	×	○	×	×	○
	消毒用エタノール	○	○	○	○	×	×
	消毒用イソプロパノール	○	○	○	○	×	×
	ポビドンヨード	×	×	×	○	○	×
低水準消毒薬	第4級アンモニウム塩	○	○	○	○	○	△
	クロルヘキシジン	○	○	○	○	×	×
	両性界面活性剤	○	○	○	○	○	△

CHAPTER 2　洗浄・消毒・滅菌

CHAPTER 2

■消毒薬使用の実際

消毒薬	使用濃度	消毒対象	備考
ディスオーパ（フタラール）	原液	内視鏡 ウイルス汚染の器械器具	<高水準> 蓋付容器を用いて5分以上浸漬する。 浸漬後のすすぎを十分に行う。 使用時にはマスク、ゴーグル、手袋を着用する（蒸気の吸入に注意）。 皮膚への付着に注意する。 清拭や噴霧を行わない。
アセサイド（過酢酸）	0.3%	内視鏡	<高水準> 内視鏡洗浄消毒装置「OER-2」専用。
バイゲンラックス 5% ミルクポン 1% （次亜塩素酸ナトリウム）	0.01% 0.02% 0.1%	哺乳瓶、蛇管 投薬容器 薬液カップ リネン、食器 ウイルス汚染のリネン・器具	<中水準> 洗浄後に1時間浸漬する。 洗浄後に5分以上浸漬する。 洗浄後に30分以上浸漬する。
エコ消エタ（消毒用エタノール） 消毒用イソプロパノール	原液	手指、皮膚 手術部位の皮膚 注射剤のアンプル・バイアル ドアノブ カート、洋式トイレの便座 医療用具　など	<中水準> 粘膜や損傷皮膚は禁忌（刺激性のため）である。 傷のある皮膚や、手荒れのひどい手指には用いない。 引火性に注意する。
アプリスワブ（10%ポビドンヨード） ヒシヨード（ポビドンヨード）	原液	手術部位の皮膚・粘膜 損傷部位 熱傷皮膚面 感染皮膚面	<中水準> 腹腔・胸腔へは用いない（ショックの可能性）。 体表面積20%以上、または腎不全のある熱傷患者には用いない。 低出生体重児や新生児への広範囲使用を避ける。 術野消毒で、患者と手術台の間にたまるほど大量に用いない。 消毒効果を得るには、消毒面が乾燥したことを確認する。
イオダインスクラブ（ポビドンヨード発泡剤、界面活性剤含有）	原液	手指・皮膚 手術部位の皮膚	<中水準> 粘膜や傷部へは用いない（洗浄剤の毒性）。 首から上の術野消毒には用いない。 術野消毒で、患者と手術台の間にたまるほど大量に用いない。 消毒薬に洗浄力を高める界面活性剤を混ぜ合わせたスクラブ剤である。
ステリクロン液0.05（グルコン酸クロルヘキシジン）	原液	創傷部位	<低水準> 膀胱・膣・耳への使用は禁忌である。

病院感染対策の実践

消毒薬	使用濃度	消毒対象	備考
マイクロシールドスクラブ（グルコン酸クロルヘキシジン）	原液	手指	<低水準> 手指消毒以外の目的には使用しない。 4%クロルヘキシジングルコン酸塩のスクラブ剤消毒薬に洗浄力を高める界面活性剤を混ぜ合わせたスクラブ剤である。
ヒビスコール（グルコン酸クロルヘキシジン含有エタノール溶液）	原液	手指	<中水準> 速乾式手指消毒薬 傷のある皮膚や、手荒れのひどい手指には用いない。 汚れのある手指では、手洗い・乾燥後に用いる。 引火性に注意する。
ウィル・ステラV（エタノール76.9-81.4%）	原液	手指	<中水準> 速乾式手指消毒薬 傷のある皮膚や、手荒れのひどい手指には用いない。 汚れのある手指では、手洗い・乾燥後に用いる。 引火性に注意する。 添加物としてリン酸を含有し、強酸性に調製されている。
ザルコニン液0.025 スワブスティックベンザルコニウム （第4級アンモニウム塩） 塩化ベンザルコニウム	原液	膣洗浄 手術部位（手術野） 粘膜の消毒 皮膚・粘膜の創傷部位の消毒	<低水準> 経口毒性が高いため、誤飲に注意する。
ステリクロンRエタノール0.5 （クロルヘキシジン・エタノール） クロルヘキシジン・イソプロパノール	原液	医療用器材 手術部位の皮膚	<中水準> 粘膜や損傷皮膚には禁忌である。 首から上の術野消毒に用いない。 引火性に注意する。 術野消毒で、患者と手術台の間にたまるほど大量に用いない。
コンクノール10% （両性界面活性剤）	0.1～0.5%	医療用器材環境	<低水準> 結核領域では、0.5%濃度を用いる。

CHAPTER 2 洗浄・消毒・滅菌

CHAPTER 2

滅菌

滅菌とは、細菌芽胞を含むすべての微生物を殺滅しようとする行為である。
また、現在は無菌性保証レベルとして、10-6レベル*が採用されている。

*無菌性保証レベル(10-6レベル)とは、滅菌を行って1個の微生物が生き残る確率が100万回に1回であることを意味する。

滅菌物の管理

滅菌物が使用にいたるまでの間、滅菌の破綻がないよう適切に管理する。
専用で清潔な扉付カートや密閉容器を準備し、搬送する。
また、扉付の棚で保管し、清掃を徹底する。

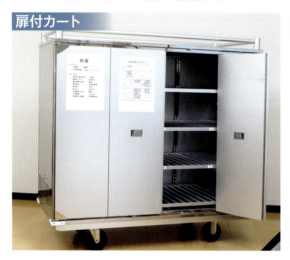

扉付カート

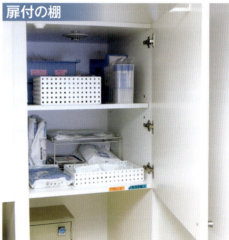

扉付の棚

POINT

■ 扉付の棚など、密閉して保管することによって、埃が侵入せず、清掃しやすい環境を整えることができる。

使用頻度の高いものは、開放棚で保管してもよいが、床から30cm以上距離を置き、水周りを避けて保管する。

30cm以上

POINT

■ 床の埃は床上30cmの高さで舞っているため、床から30cm以上距離をおいて保管することによって、床からの汚染を受けにくくなる。最下段は、定期的に清掃する。

病院感染対策の実践

滅菌パックは、使用期限の早いものから使用できるように置く。
また、定期的に定数見直しを行い、在庫を多く持たない。

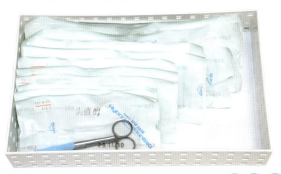

POINT
- 保管期間が長くなると、パックの包装が劣化して微生物が混入するリスクが生じるため、使用期限の早いものを手前に置き、定期的に定数を見直す。
- 滅菌パックの上から油性ペンなどで文字を書くと、中の器材を汚染してしまう可能性がある。

CHECK!　滅菌パックの破損に注意！
- 滅菌パックが破損して滅菌性が失われないよう、大量に重ねたり、凝集させないように注意する。
- 滅菌物をゴムなどで強く縛って束ねたり、先端の鋭利な器材を立てて収納したりすると、包装の破損につながる。

滅菌物使用上の注意

❶ 化学的インジケーター（CI：Chemical Indicator）の色を見て滅菌済みであることを確認する。

❶

POINT

- AC：オートクレーブ（高圧蒸気）滅菌
  EO：酸化エチレンガス滅菌
- AC滅菌では、ACの文字がオレンジ→グリーンに変化し、EOの文字は変化しない。
- EO滅菌をした場合、EOの文字が赤紫→ブルーに変化し、ACの文字は変化しない。

❷

❷ 包装に異常はないかを確認する（滅菌パックの破れ、ピンホール、水などによる濡れ汚染など）。使用期限も確認する。

❸ 手指衛生を行い、必要に応じた個人防護用具を着用し、無菌操作で使用する。

CHECK!
- 一度開封した器材は、未使用でも滅菌物とみなさない。
- 滅菌済みディスポーザブル製品を再滅菌してはいけない。
  例：未使用の挿管チューブについて、滅菌期限切れを理由に再滅菌してはいけない。
  ポリ塩化ビニル製品に放射線滅菌を施し、滅菌済みディスポーザブル製品として市販されている医療器具は、EOG（酸化エチレンガス）で再滅菌すると、毒性の強いエチレンクロロヒドリンを生成するため、再滅菌してはいけない。

CHAPTER 2　洗浄・消毒・滅菌

CHAPTER 2
9 環境整備

日常的に環境表面や頻繁に接触する箇所の汚染を周囲へ拡大させないことが、患者に快適で安全な療養環境を提供することにつながる。

目的
1. 環境表面の汚染が周囲へ拡大することを防止する。
2. 患者に快適で安全な療養環境を提供する。

日常清掃

原則として、清掃と洗浄を実施する。標準的に消毒薬を用いる必要はない。
日常的に埃や汚れを取り除き、血液・体液で汚染された環境表面は、手袋をしてペーパータオルで目に見える汚染を除去したうえで、次亜塩素酸ナトリウム溶液を用いて清拭・消毒する。

スタッフエリア

スタッフエリアとは、主にスタッフステーション、点滴調整室、器材庫、休憩室など、スタッフが使用するすべてのエリアを指す。常に整理整頓を実施する。

点滴調整室

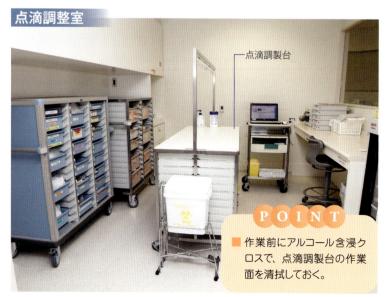

POINT
■ 作業前にアルコール含浸クロスで、点滴調製台の作業面を清拭しておく。

スタッフエリアは、1日1回環境クロスで拭く。
点滴調製台の設置場所としては、空調設備から離れ、汚物処理室などの汚染物を取り扱う場所と区切られた人の出入りの少ない場所が推奨される。
また、パントリー（配膳室）の流し台、ベッドパンウォッシャーのシンクやサニタリールームの流し台は、クレンザーを使用して毎日清掃する。

病院感染対策の実践

患者のベッド周囲

患者に安全で快適な療養環境を提供するため、1日1回は実施する。ベッド周囲から不潔なもの、不要なものを取り除き、患者の所持品や荷物を整理してから行う。
ベッド清掃時は清掃用回転式粘着テープを使用して毛髪や落屑を取り除く。
オーバーテーブル、床頭台、ベッドコントローラー、ベッド柵、テレビのリモコンなど、患者の手がよく触れるところとその周囲を環境クロスで拭く。

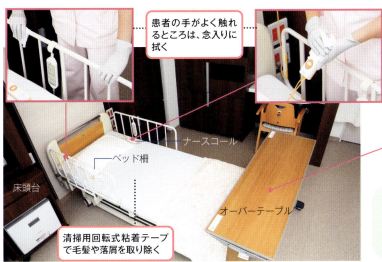

患者の手がよく触れるところは、念入りに拭く

適切な個人防護用具を徹底する

床頭台　ベッド柵　ナースコール　オーバーテーブル

清掃用回転式粘着テープで毛髪や落屑を取り除く

EVIDENCE
■ 感染の多くは、手指を介した間接的な伝播によるため、手指が頻繁に触れるところの清掃を徹底する。

CHAPTER 2　環境整備

電子カルテワゴン

電子カルテワゴンには、必ずアルコール擦式消毒薬と針廃棄ボックスを設置する。
ワゴンの引き出しには手袋（未滅菌）、単包アルコール含有綿、ビニールエプロン、環境クロスを常備する。
ワゴンは、1日1回、または汚染時に環境クロスで拭く。
パソコン本体（液晶は除く）は、1日1回環境クロスで拭く。液晶は、OAウェットティッシュで拭く。

パソコン本体
アルコール擦式消毒薬
針廃棄ボックス

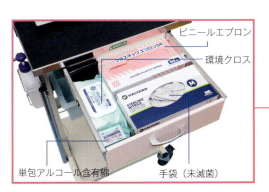

ビニールエプロン　環境クロス
単包アルコール含有綿　手袋（未滅菌）

79

CHAPTER 2

備品、物品

車椅子やストレッチャーの車輪の埃は、週1回取り除く。

車輪に埃がたまりやすいため、週1回取り除く

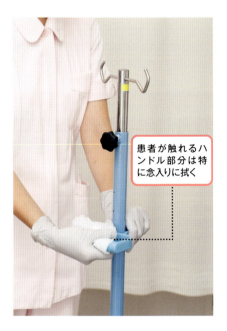

患者が触れるハンドル部分は特に念入りに拭く

点滴スタンドは、回収時に環境クロスで拭く。
床からの汚染を受けにくくするため、床に近い位置には物品を置かない。床近くに置く場合には、箱に物品をつめてキャスター付きの可動式にすると、清掃しやすく、埃が堆積しない。

清掃用具

拭き掃除の際は雑布を使用せず、環境クロスなどのディスポーザブルペーパーを使用する。
清掃用の柄付きタワシは、タワシの水分がシンクに落ちる場所に設置する。

タワシの水分がシンクに落ちる場所に設置

CHECK!

濡れたままの清掃用具は微生物の温床となっており、清掃用具に含まれる水分は汚染されているものと考える。二次汚染の拡大を防ぐためにも、汚染拡大が最小限になる場所に清掃用具を設置することが重要である。

リネンとタオル

リユースの清拭用タオルを使用する場合は、使用期限内に清拭車で沸騰させる。また、使用期限を超過したものは、未使用でも再洗濯に出す。
ディスポーザブルの清拭用タオルを使用する場合は、加温後1週間を使用期限とする。

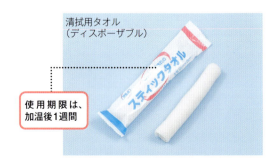

清拭用タオル（ディスポーザブル）

使用期限は、加温後1週間

病院感染対策の実践

使用済みリネンは以下の3種類に分けられ、それぞれ分別が異なる。

■使用済みリネンの分類

①布のリネン
（シーツ類、枕、枕カバーなど） → ランドリーバッグ

②タオル
（リユースの清拭用タオル、バスタオルなど） → ランドリーバッグ

③汚染（感染）リネン
　汚染タオル

汚染（感染）リネンとは、接触感染対策を要する患者に使用したリネン、または血液、体液（汗を除く）、分泌物、排泄物で汚染されたリネンを指す。

水溶性ランドリーバッグに入れる

蓋付きの専用容器

POINT

■ 水溶性ランドリーバッグは洗濯機の熱水で溶解するため、汚染リネンを入れたまま、直接熱水洗濯機に投入できる。

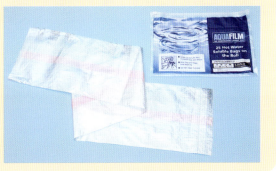

CHECK!

感染の危険がある寝具類の洗濯の外部委託については、以下の通知を熟知したうえ、委託業者と契約を取り交わす。
「消毒は病院内の施設で行うこと、……外部委託する場合には感染性の危険のある旨を表示した上で、密閉した容器に収めて持ち出すなど他へ感染するおそれのないよう取り扱うこと（一部省略）」
（平成5年2月15日 厚生省健康政策局指導課長通知）。

CHAPTER 2

清拭車

タンク

1日1回内部を拭き取り、乾燥させる。
また、1週間に1回、浸漬消毒する。0.02%次亜塩素酸ナトリウム水溶液をタンクに満たし、10分間浸漬させ、その後十分乾燥させる。
1年に1回程度、カルキ除去およびメンテナンスを含めて、中央滅菌材料室で洗浄を実施することが望ましい。

清拭車

POINT
- 0.02%次亜塩素酸ナトリウムは、非金属の医療機器に対して使用できる。有機物が存在しない条件では、栄養型細菌（芽胞を持たない細菌）には、0.0001%以下で殺菌効果がある。
- 水回りを好むグラム陰性桿菌は乾燥に弱いため、消毒後十分に乾燥させる。

CHECK!
ディスポーザブル・タオルの使用
- 現在は、衛生上の観点や管理の簡便さから、ディスポーザブルのタオルを温めて使う施設も多い。

尿器・便器

尿器 ベッドパンウォッシャーで、1日1回洗浄し、乾燥させる。洗浄後の尿器はラックに入れ、ベッドサイドにかける。

便器 使用後はベッドパンウォッシャーで洗浄する。
便器は原則としてベッドサイドやベッドの下（床）に置いたままにしない。

1日1回洗浄・乾燥させる　　洗浄後、ベッドサイドのラックにかける

床は埃が多いうえ、床の汚れが便器に付着するとベッド上や患者に汚染が拡大してしまう

リフトバス

使用後毎回、バスタブ、ストレッチャーとも風呂用洗剤で洗浄する。このとき、ストレッチャーからマットを外し、別々に洗浄する。洗浄後、水分を乾いた布でよく拭き取る。ストレッチャーの裏側部分もできるだけ拭き取る。

拭き取った後、バスタブ、ストレッチャー、マット（ストレッチャーに装着しない）を十分に乾燥させる。

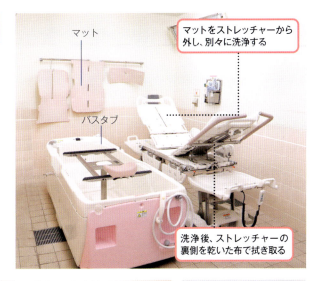

マットをストレッチャーから外し、別々に洗浄する

マット
バスタブ

洗浄後、ストレッチャーの裏側を乾いた布で拭き取る

マットは、ストレッチャーに装着する前に十分に乾燥させる

洗浄に使用したブラシも十分に乾燥させる

POINT
■ 乾燥が難しい場合は、カビや細菌の増殖を防ぐために、消毒薬の使用を考慮する。

製氷機・薬品冷蔵庫（定期的に実施）

製氷機・薬品冷蔵庫の清掃の際は、電源を切り、庫内の氷、薬品を全部出す。
洗剤は使用せず、環境クロスで庫内の水分や汚れを見えなくなるまで、可能な限り奥まで拭き取る。
その後、アルコール含浸クロスで、庫内を満遍なく拭き取り、アルコールが蒸発した（アルコール臭が消えた）ことを確認し、電源を入れる。
製氷機下部にあるフィルターの清掃は、製氷機に記載してある頻度で行う。

薬品冷蔵庫

一時貸し出し用スリッパの管理方法

患者や家族にスリッパを一時的に貸し出した場合は、使用後、必ずアルコール含浸クロスで拭く。
使用していない期間は、ビニール袋などに入れて保管するとよい。

CHAPTER 2-10 感染性廃棄物の処理

感染性廃棄物とは、「医療関係機関等から生じ、人が感染し、若しくは感染するおそれのある病原体が含まれ、若しくは付着している廃棄物、又はこれらのおそれのある廃棄物」と定義されている（環境省：廃棄物処理法に基づく感染性廃棄物処理マニュアル 平成29年3月）。
感染性廃棄物には、関係者が感染性廃棄物と認識できる表示が必要であり、取り扱う際は十分に注意する。

目 的
1. 感染性廃棄物の種類・特徴を理解し、取り扱いには十分に注意する。
2. 廃棄時の注意点を理解し、実践する。

■感染性廃棄物の判断フロー

STEP 1（形状）

廃棄物が以下のいずれかに該当する。
① 血液、血清、血漿及び体液（精液を含む。）（以下「血液等」という。）
② 病理廃棄物（臓器、組織、皮膚等）
③ 病原微生物に関連した試験、検査等に用いられたもの
④ 血液等が付着している鋭利なもの（破損したガラスくず等を含む。）

 YES

 NO

STEP 2（排出場所）

感染症病床、結核病床、手術室、緊急外来室、集中治療室及び検査室において治療、検査等に使用された後、排出されたもの

 YES

NO

STEP 3（感染症の種類）

① 感染症法の一類、二類、三類感染症、新型インフルエンザ等感染症、指定感染症及び新感染症の治療、検査等に使用された後、排出されたもの
② 感染症法の四類及び五類感染症の治療、検査等に使用された後、排出された医療器材等（ただし、紙おむつについては特定の感染症に係るもの等に限る。）

 YES

 NO

非感染性廃棄物

感染性廃棄物

環境省：廃棄物処理法に基づく感染性廃棄物処理マニュアル 平成29年3月より

感染性廃棄物の種類

感染性廃棄物を廃棄する容器には、廃棄物の種類に応じて識別ができるようにバイオハザードマークを提示する。

感染性廃棄物ボックスは、バイオハザードマークで識別されている

バイオハザードマーク

黄色
鋭利なもの(注射針など)

橙色
固形状のもの(血液付着のガーゼ、使用済みの医療材料や個人防護用具など)

赤色
液状または泥状のもの
(血液など)

医療関係機関からは紙くず、包帯、ガーゼ、脱脂綿などの廃棄物が発生するが、これらのうち感染性であるものを感染性一般廃棄物という。

一方、血液（廃アルカリまたは汚泥）、注射針（金属くず）、レントゲン定着液（廃酸）などの廃棄物については、これらのうち感染性であるものを感染性産業廃棄物という。

それぞれ、廃棄する容器の形状や特徴が異なる。

感染性一般廃棄物（主に固形状のもの）

一般的にダンボールがよく使われる。内容物が飛散しないように内側に厚手のビニール袋が使用され、ペダル式スタンドにより足で蓋を開け閉めする。

感染性産業廃棄物（主に鋭利なもの）

貫通しないプラスチック容器を用いる。
蓋は廃棄時に「閉めたら開けられない」密閉構造になっている。

CHECK! 感染性廃棄物ボックスの設置場所

- 感染性廃棄物ボックスは、患者や面会者にとって危険のない場所に設置する。
- 感染性廃棄物が発生した場所で一時保管する場合は、場所を定めてできるだけ短時間の保管とし、頻回に回収する。
- 院内で回収された感染性廃棄物は、敷地内の鍵がかけられる感染性廃棄物専用保管庫に一時保管する。
- 院内で感染性廃棄物を移動する際は、専用カートや台車を使用して運ぶ。

CHAPTER 2

感染性廃棄物の取り扱い

廃棄物を取り扱う際は、適切な個人防護用具をつけて行う。
廃棄物を取り扱った手袋で環境面に触れることは厳禁で、廃棄物を捨てた直後に手袋を取り外し、速やかに手指衛生を行う。

| 感染性廃棄物の廃棄 | 直後に手袋を外す | 速やかに手指衛生 |

主にガーゼなどの固形物を廃棄する際は、付着した血液や分泌物で周囲が汚染されないように、ビニール袋など防水性のある入れ物に入れ、密閉する。
感染性廃棄物ボックスのある場所に搬送し、廃棄する。

ガーゼなどの固形物は、密閉して廃棄する

主に針などの鋭利なもの（感染性産業廃棄物）を廃棄する際は、廃棄物ボックスの指定容量を厳守し、内容量の8割を目安に蓋を閉める。
指定容量を超えると、廃棄の際の針刺しや、容器の運搬時に危険である。

指定の容量を示すライン

CHECK!

廃棄時の注意点

- 内容量の8割を目安に蓋を閉める。
  特に鋭利な廃棄物の場合、蓋を閉める際には、針刺しなどに注意する。
- 感染性廃棄物の中身の移し替えは禁止とし、必ずそのまま廃棄する。

CHAPTER 2 - 11 細菌培養検体の採取方法

感染症が疑われる患者から正しく検体を採取するためには、検査の意味を十分理解し、抗生物質投与前の検査を心がける必要がある。
正しく採取された検体が適切な手順で細菌検査室に届けられなければ、検査結果の価値が損なわれ、有用な感染対策情報が手に入らないばかりか、診療過誤や経済的損失を起こしかねない。

目的

1. 各種の微生物によって引き起こされる感染性疾患の診断と治療のために行う。
2. 抗菌薬の適切な投与や治療効果の判定のためにも行う。

■検査法

塗抹検査	検査材料をスライドガラスに塗って染色し、菌の存在を顕微鏡で観察する方法。グラム染色法、抗酸菌染色（チールネルゼン法、蛍光法）、墨汁染色など。
培養	各種の培地（細菌が生育するために必要な栄養分が含まれているもの）を選択して検査材料を塗り、増殖させて肉眼で確認できるようにする方法。
同定検査	発育した菌のコロニー（菌集落）より形態・性状などを調べ、菌名の確定をする方法。
感受性検査	発育した菌が抗菌薬を含む培地に発育するかどうか、また、発育を阻止できるか、さらにどのような抗菌薬が有効かを調べる方法。
迅速抗原検査	検査材料から直接原因微生物および毒素などを検出する方法。A群溶レン菌、マイコプラズマ抗原、インフルエンザ抗原、アデノウイルス抗原、RSウイルス抗原、尿中肺炎球菌抗原、尿中レジオネラ抗原、ロタウイルス抗原、便アデノウイルス抗原、ノロウイルス抗原、CDトキシンなど。

STUDY 細菌検査における一般的注意

感染症患者の診断、治療を行ううえで細菌学的検査は欠かせない検査の1つである。
- 検体採取に際して苦痛を伴うこともあるため、患者には十分な説明を行い、理解を得るとともに検査に必要な最良の検体が採取できるよう、協力を求めることも大切である。
- 原則として、検査は抗菌薬の使用前に行われる。抗菌薬の投与中は可能な場合に限り、24時間以上抗菌薬投与を中止して採取することが望ましいが、中止できない場合は抗菌薬の血中濃度が最も低いレベルにある時期に検体を採取する。
- 検体採取容器は、決められたものを使用する。
- 検体採取時はスタンダード・プリコーションを遵守する（手指衛生、手袋着用、必要時マスク着用）。
- 常在菌の混入、消毒薬の混入を避ける。
- 検体はなるべく多く採取し、乾燥を避ける。
- 患者自身が検体を直接容器に採取する場合には、事前に採取方法、保存方法、注意点を具体的に説明し、採取後は必ず内容物の確認を行う。
- 検体は速やかに、専用運搬容器に入れ、細菌検査室へ提出する。

CHAPTER 2

検体の採取方法

喀痰　採取した検体に喀痰よりも唾液が多い場合は、上気道の常在菌であふれ、真の病原菌の検出が困難となり、正しい検査が行えない。したがって、完全な唾液痰の場合は、採り直す必要がある。

以下の注意点に留意して、喀痰の肉眼的評価をしてから提出する。

必要物品

❶ スピッツ

喀痰採取時には大量の飛沫が発生し、感染源となるおそれがある。特に空気感染対策を要する結核が疑われる場合は、採痰用のブースなどで採痰すると、感染性飛沫核が拡散しない

喀痰は口腔内を経て喀出されるため、口腔内の常在菌が混入する。この影響を減少させるため、うがい後に痰を2〜5mL採取する（うがい前に歯磨きを行えばより効果的）。早朝起床時の喀痰は濃厚なため、検体に適している。就寝中に気道にたまった喀痰が排出されるからである。

採痰時の注意事項

■ 検体が唾液、鼻汁でないことを確認して、膿性痰2〜5mLを採取する。採取の際、綿棒は使用しない。

■ 痰の性状を肉眼的に分類したものが以下に示すMiller&Jonesの分類である。

■ 喀痰の肉眼的評価（下記のMiller&Jones分類参照）をしてから、細菌検査室へ提出する。

Miller & Jonesの分類

表現	内容	
M1	唾液、完全な粘性痰	ほとんど唾液であり、膿性部分がない。微生物検査には適さない
M2	粘性痰の中に膿性痰が少量含まれる	
P1	膿性部分が1/3以下の痰	
P2	膿性部分が1/3〜2/3の痰	
P3	膿性部分が2/3以上の痰	黄色味を帯びた膿性の痰がほぼ全体を占める。良質の喀痰として微生物検査に適している

■ 検体は採取後直ちに細菌検査室に搬送されることが望ましいが、一時的に保管する場合、室温では2時間以内、冷蔵（4℃）でも24時間以内とする。室温で長時間放置すると、常在菌が増殖して病原菌検出が困難となる。

尿

検査の目的によって採尿法・保存法が異なるため、それぞれ採尿手順を遵守して行う。

必要物品

❶ 滅菌採尿カップ
❷ 滅菌スクリュースピッツ

中間尿の採取

滅菌スクリュースピッツに約10mL移す

検体採取時はスタンダード・プリコーションを遵守する

尿は抗菌薬の影響を受けやすいため、抗菌薬使用前に採取する。
中間尿を採取する際は、外陰部からの細菌などの混入を防ぐため、出始めは便器に排尿し、排尿を止めずに中間部分の尿を採尿コップに採る。出終わりの尿は、採尿コップに採らず便器に排尿する。手指衛生後、スタンダード・プリコーションを遵守のうえ、滅菌採尿カップの尿をシリンジで吸い上げ、滅菌スクリュースピッツに約10mL移す。
採尿後、すみやかに細菌検査室へ提出する。特に糖、タンパク尿では細菌増殖が速いため、採取後の速やかな提出を心掛ける。

POINT
採尿時の注意事項

- 初尿は外陰部からの細菌などの混入があるため、必ず中間尿を採取する。
- 尿は細菌にとって格好の培地となるため、採尿後、室温放置は厳禁とする。尿を室温に放置しておくと、細菌をはじめとする微生物が増殖して、起因菌よりも培養速度の速い細菌の数が多くなり、誤診断の原因となる場合がある。速やかに細菌検査室に提出する。速やかに提出できない場合は、4℃で冷蔵保存する。
- 淋菌性尿道炎を疑う時は、初尿を採取する。淋菌は低温に弱いため冷蔵保存せず、直ちに搬送し、その旨を検査室に伝える。
- 尿中肺炎球菌抗原、尿中レジオネラ抗原は、採尿後速やかに細菌検査室に提出する。
- 導尿中に採尿する場合は、採尿ポートから行う(P.55参照)。

CHECK!
集尿バッグの尿を採取した!

- 集尿バッグ内の尿を排出口から採った場合、会陰部の常在菌やバッグ内ですでに繁殖した雑菌も尿に混入するため、微生物検査には適さない。
このような場合、検査結果では細菌の異常増殖が見られているにもかかわらず、塗抹検査で炎症細胞が検出されない。
しかしながら、菌量の多さから誤って起炎菌と考えられ、治療の対象と誤判断されることがある。
このような事態を回避するためにも、細菌検査に提出する採尿は集尿バッグの排出口からではなく、採尿ポートから採取する。
採尿時には、手指衛生とスタンダード・プリコーションを遵守する。

CHAPTER 2

血液

11-1

患者に感染症が疑われたら、血液培養を行う。血液採取は、説明のつかない状態の変化や意識障害、低体温などでも感染症を疑い、実施する。また、抗菌薬開始・変更前には必ず実施する。

喀痰や尿と異なり、血液は体内の無菌エリアからの検体であるため、コンタミネーション（汚染・混入）がないように採取時は無菌的に行い、原則として2セット採取する。

CHECK!
血液採取・培養の基本原則

血液採取・培養にあたっては、以下の原則を厳守して行う。

■ 採取の前提条件
・原因不明や突然の発熱または悪寒があり、医師の指示がある。

■ 血液培養の望ましいタイミング
・抗菌薬投与の開始前および、抗菌薬変更前（すでに抗菌薬が投与されているケース）に実施する。

■ 採血回数・採取検体数
・原則的に2回採血する（2セット、計4本採取）。採血量は1本あたり約8mL。
・1セットでは、検査の感度やコンタミネーションとの鑑別が困難などの問題があるため、必ず2セット採取する。
・2回目の採血は、異なる血管から採取する（例：1回目左腕、2回目右腕）。

必要物品

❶ カルチャーボトル2セット
　（ボトル4本：嫌気ボトル2本・好気ボトル2本）
❷ 手袋（未滅菌）
❸ シリンジ（20mL）
❹ 直針または翼状針（21G～23G）
❺ 単包アルコール含有綿
❻ 10％ポビドンヨード
❼ 針廃棄ボックス
❽ 駆血帯
❾ アルコール擦式消毒薬

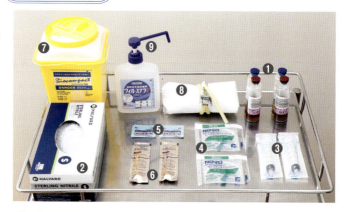

POINT
カルチャーボトルについて

微生物によって性質や形状が異なり、好気性菌と嫌気性菌があるため、2種類のボトルをセットで採取する。

嫌気ボトル
・嫌気性菌（酸素を嫌う・必要としない微生物）を生育させるボトル。
・嫌気性菌は酸素に触れると死んでしまうため、注入時に酸素が混入しないように注意。

好気ボトル
・好気性菌（酸素がないと生育できない微生物）を生育させるボトル。

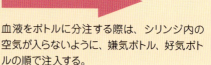

血液をボトルに分注する際は、シリンジ内の空気が入らないように、嫌気ボトル、好気ボトルの順で注入する。

病院感染対策の実践

細菌培養検体の採取方法

採血の際は、以下の手順で、必ず2人（採血実施者、介助者）で行う。

❶ はじめに、手指衛生を行う。

POINT
- 必ず2人で実施する。実施前に手指衛生を行う。

❷ 介助者はカルチャーボトルのゴム栓を単包アルコール含有綿で念入りに拭く。

ボトルのゴム栓を念入りに拭く

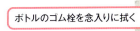

単包アルコール含有綿での消毒 ❸　　ポビドンヨードでの消毒 ❹

挿入部位の中心から円を描くように2回消毒

消毒後、乾くのを待つ

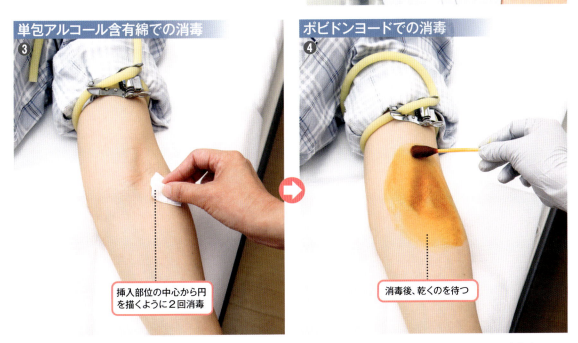

❸ 採血実施者は採血部位を単包アルコール含有綿で、挿入部位の中心から外側へ円を描くように2回消毒する。

❹ 有機物の汚染を除去した後、手袋（未滅菌）を着用し、10％ポビドンヨードまたは0.5％以上のクロルヘキシジンアルコールで、挿入部位の中心から外側へ広範囲に消毒する。

CHAPTER 2

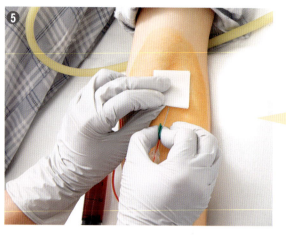

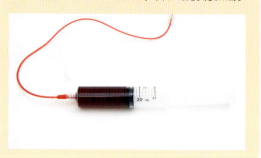

POINT
- 採血量は1セット16〜20mL（1ボトルあたり約8mL）。

❺ 翼状針または直針を用いて採血を実施する。

❻ 介助者は針を付け替えずに、カルチャーボトルへ血液を注入する。
　注入は嫌気ボトル、好気ボトルの順で行い、嫌気ボトルに空気が入らないように注意する。
　ボトル内は陰圧で、穿刺すると同時に一気に血液が吸い込まれるため、必要量を確認しながら注入する。
　また、抜針の際、血液が飛散したり、針刺し事故の可能性があるため、慎重に行う。

嫌気ボトルへの注入

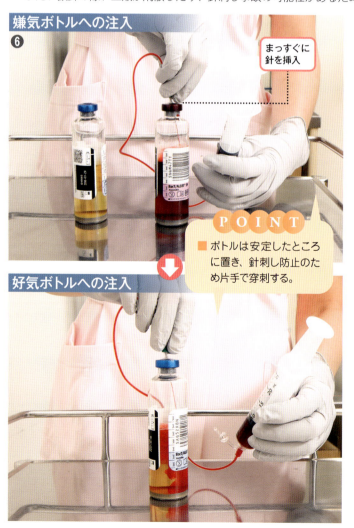

まっすぐに針を挿入

好気ボトルへの注入

POINT
- ボトルは安定したところに置き、針刺し防止のため片手で穿刺する。

POINT
注入時のポイント
- 針刺し防止のためにも、針を付け替えずに注入する。
- ボトルを安定したところにおき、ボトルに手を添えずに、片手で穿刺し、針刺しを防止する。
- 注入時はまっすぐに針を挿入する。
- 嫌気ボトルには空気が入らないように注意する。嫌気性菌は、酸素に触れると死滅してしまう。
- 針を抜く時には針刺しに注意。ボトル内は陰圧で、抜針の際にかなり抵抗があるため、反動で針が手などに刺さらないように注意する。

病院感染対策の実践

> **CHECK!**
> 嫌気ボトルに空気が入らないように注意！

- カルチャーボトル内は陰圧になっているため、嫌気ボトルへ穿刺すると同時に一気に血液が吸い込まれる。ボトルに入る血液の量を注意深くみていないと、必要量以上の血液が吸い込まれ、余分な空気まで混入してしまうことがある。
  嫌気性菌は空気中の酸素に触れると死滅してしまうため、偽陰性（実際は陽性であるのに陰性と判定）の検査結果を招きかねない。
- 嫌気ボトルより先に好気ボトルに穿刺してしまうと、残りの血液を嫌気ボトルに入れる際、空気が入りやすくなってしまう。このため、嫌気ボトル→好気ボトルの順に注入するのが一般的である。
  例外として、十分な採血量が得られなかった場合、好気ボトルの量を優先させて残りを嫌気ボトルへ注入するというやり方もある。これは、大部分の菌血症は好気性菌や通性嫌気性菌（好気環境・嫌気環境どちらでも発育する菌）であり、好気ボトルのほうがよく発育する（＝検査が陽性と出やすくなる）ためである。

血液が入り切ると、空気がボトル内に入ってしまう

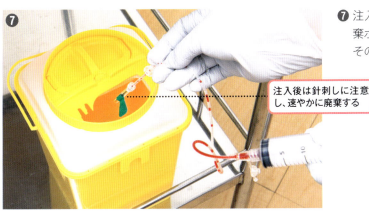

❼ 注入後、針をつけたままシリンジを針廃棄ボックスに速やかに廃棄する。その際も、針刺しに注意する。

注入後は針刺しに注意し、速やかに廃棄する

❽ 注入後は、ボトルを軽く転倒混和する。

❾ ❶〜❽の手順を反対側の腕(例：1回目左腕、2回目右腕)で繰り返す。

❿ 2セット計4本採取したら、手袋を外し、手指衛生をした後、冷やさずに、直ちに検査室へ提出する。

CHAPTER 2

POINT
採取後は冷やさずに、直ちに検査室へ提出

血液は、本来無菌検体であるため、検出率を上げるために以下の処置を行う。

■ 血液培養の容器にはあらかじめ液体培地が入っており、培養しやすい環境が整っている。また、凝固剤も入っているため、凝固して細菌の発育を阻害しないよう、血液採取後はボトルを撹拌し、培地と混和する。

■ さらに、採取後は細菌発育のために至適温度にする必要があり、室温に放置せず（冷蔵は厳禁）、検査室に直ちに提出する。

■ これに対して、血液以外の検体の場合には、適切な培地に検体を接種するまでの期間に、細菌が死滅したり、細菌の濃度が変化しないように冷蔵保存することが必要である。

CHECK!
針刺し防止機能付き製品の活用

■ 分注用コネクターと、それに対応したカルチャーボトルを利用することによって、針を直接ボトルの栓に刺さずに血液をボトルに注入することができる。

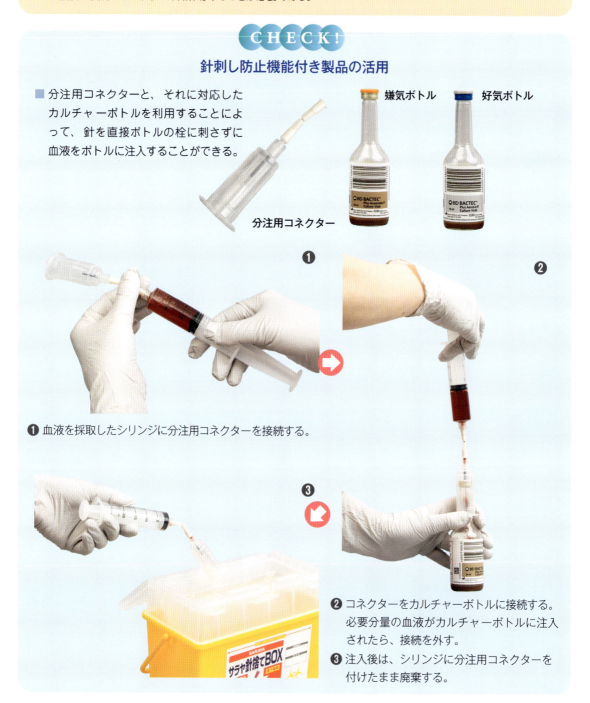

❶ 血液を採取したシリンジに分注用コネクターを接続する。

❷ コネクターをカルチャーボトルに接続する。必要分量の血液がカルチャーボトルに注入されたら、接続を外す。

❸ 注入後は、シリンジに分注用コネクターを付けたまま廃棄する。

MEMO

CHAPTER 3
職業感染対策

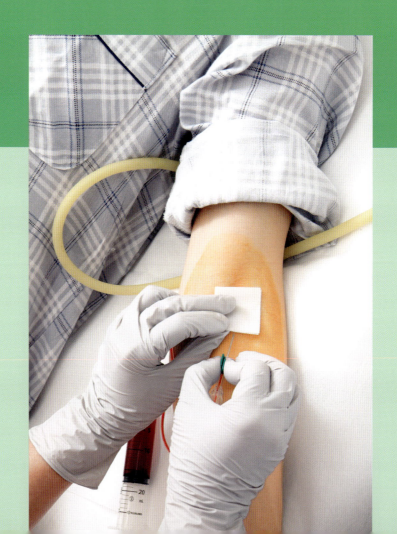

CONTENTS

1. 針刺し防止対策
2. 血液汚染事故時の対応
3. 職員抗体検査とワクチン接種

CHAPTER 3-1 針刺し防止対策

業務が原因となって感染症にかかってしまうことを「職業感染」といい、血液や体液を介して感染を生じる細菌やウイルスなどの感染病原体は「血液媒介病原体」と呼ばれる。

特に針刺しは、職業感染発生の大部分を占める。針刺し防止対策としては、鋭利器材の適切な取り扱いや安全器材の正しい使用が重要となる。また、一旦針刺しが発生してしまった際には、血液媒介の感染症に曝露された可能性があるため、適切な対処法をあらかじめ確認し、迅速に対応する必要がある。

目的 鋭利器材の適切な取り扱いや、安全器材の正しい使用方法を獲得し、針刺しを防止する。

STUDY 血液媒介ウイルス曝露の危険

針刺しや血液曝露の危険がある場面は、日常的に行うケアの中にある。
看護師は、日常的に血液のついた針などの鋭利な器材も使用しているが、これは、B型肝炎ウイルス（HBV）、C型肝炎ウイルス（HCV）、そしてヒト免疫不全ウイルス（HIV）などの血液媒介ウイルスに曝露する危険に常にさらされていることと等しい。
針刺しなどで上記感染症の血液に曝露した場合、発症する割合は右の通りである。

> B型肝炎ウイルス（HBV）：10～30%
> C型肝炎ウイルス（HCV）：1.8～5%
> ヒト免疫不全ウイルス（HIV）：0.4%

病院内の患者すべてが感染症の検査を受けているわけでなく、たとえ、上記感染症が陰性でも、病原体に感染してから、検査で見分けられるようになるまで一定のタイムラグ（ウインドウ期）があることが知られている。

■血液曝露予防方法の基本原則

スタンダード・プリコーションの理解と遵守
スタンダード・プリコーションを厳守し、感染の危険から身を守る。

針使用後のリキャップ禁止
針の使用後はリキャップせず、速やかに針廃棄ボックスへ廃棄する。

鋭利器材の取り扱いはルールを厳守
針などの鋭利な機材を取り扱う際は、ルールを守り、集中して処置に当たる。

職業感染対策

厳守すべきルール

手袋着用などのスタンダード・プリコーションを実施のうえ、使用後の針へのリキャップは厳禁とし、安全器材を積極的に活用して、鋭利な器材を安全に取り扱う。また、すべての曝露を速やかに報告して、適切な感染予防処置とフォローアップを受ける。

リキャップの禁止

針刺しは、針使用後にリキャップする時に発生することが多い。
そのため、針刺し防止対策として、安全装置の付いていない針の使用後はリキャップせず、速やかに針廃棄ボックスへ廃棄することが重要である。

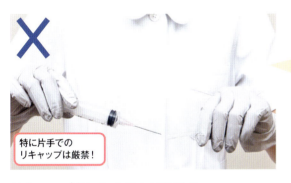

特に片手での
リキャップは厳禁！

リキャップをしなくてすむ環境を整えておくことが事故防止につながるため、後述する安全装置付きの器材の使用や作業しやすい環境を確保してケアにあたることも大切である。

POINT
- インスリン用ロードーズの針は非常に細いため、キャップを容易に貫通し、また視覚的にそれが確認しづらいため、針刺しの原因となることがある。

EVIDENCE
- 針刺し時に手袋を着用していると、体内に入る血液は1／2になるといわれている。
- 使用済み注射針のリキャップ時の針刺し切創は、近年減少傾向にあるが、それでも頻度が高い。

CHECK!
やむを得ずリキャップしなければならない場合

針の使用後、近くに針廃棄ボックスがなかったり、点滴作成の場合など、やむを得ずリキャップしなければならない時は、両手ではなく必ず片手で行う。

❶ キャップをトレイの端などに置き、キャップをすくうようにして針にかぶせ、針先を保護する。
❷❸ トレイや机などに立てるようにしてキャップをしっかりとはめこむ。

CHAPTER 3

針刺し防止のための器材

針刺し切創防止のための様々な安全装置付き器材が開発され、普及しているが、「正しい手順で安全装置を作動させない」、「安全装置を作動させずに廃棄する」などの場合には、安全装置付きであっても針刺しリスクは高まる。正しい器材の使い方を身につけ、実践していく必要がある。

針廃棄ボックス

使用後の針や鋭利器材は確実に針廃棄ボックスに廃棄する。決して、一般用のゴミ箱に入れてはいけない。

POINT

- 使用後の針をすぐに廃棄できるように、針廃棄ボックスを病室やワゴン・処置用カートに常に備えておく。
- 針廃棄ボックスは、耐貫通性で液漏れしないことや、十分な容量があり開口部から針が突出しないなど、安全に廃棄できるデザインが重視される。
- 指定容量を厳守し、内容量の8割を目安に、新しいボックスへ交換する。飛び出した針先による曝露や、廃棄物の詰め込みによりボックスが貫通するリスク、廃棄物を手で押し込んでしまうリスクなどがあるためである。
- 専用廃棄容器が配置されていない病室などで処置をする場合は、携帯用の廃棄容器を携行する。
- ボックスの蓋が外れて廃棄物が外に出てしまわないよう、組み立て式のボックスの場合は、蓋をセットする際に必ず外れないことを確認する。

安全装置付き器材

針刺しを防止するために、あらかじめ安全装置付き器材を選び、正しく使用することが重要である。安全装置付き針は、原則として安全装置を作動させてから、使用した人が責任を持って廃棄する。

安全装置付き翼状針

翼状針の安全装置は抜針してから作動させるのではなく、安全装置を作動させながら抜針する。抜針後に安全装置を作動させると、針刺しの危険がある。

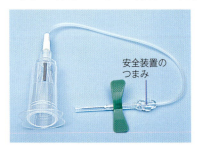

❶❷ 安全装置のつまみを押しながら引くと、針が収納される。

❸ 針・ホルダーが一体となって廃棄できる。

針・ホルダーが一体となって廃棄できる

つまみを最後までしっかりと引くと、針が完全に収納される

100

職業感染対策

安全装置付き静脈留置針

留置針によって安全装置の作動方法が異なるため、使用説明書を読み、正しい使用方法を理解する。

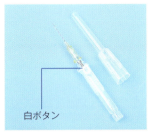
白ボタン

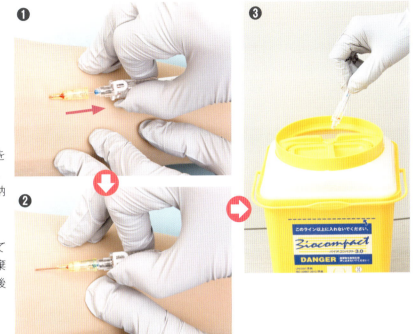

❶❷ 抜針のための白ボタンを押すと、内針が収納される。内針は、持ち手部分に収納される。

❸ 安全装置付きの針であっても、処置の際は必ず針廃棄ボックスを用意し、使用後は速やかに廃棄する。

針刺し防止機構付き血液ガス検体採取用注射筒

針刺し防止機構がついているため、採血後、片手で安全装置を作動させることができ、リキャップの必要がない。

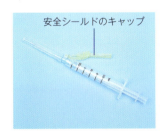
安全シールドのキャップ

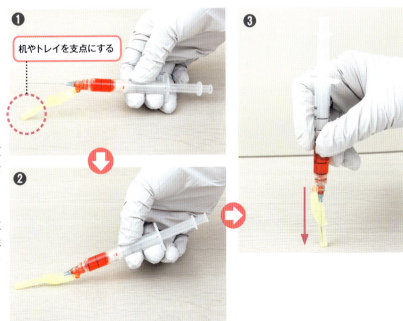
机やトレイを支点にする

❶❷ 使用後、机やトレイを支点にしてキャップをかぶせる。

❸ 机やトレイなどに垂直に立て、押し込むことで、針は安全シールドで完全にロックされる。

CHAPTER 3 針刺し防止対策

CHAPTER 3

安全装置付きポート針

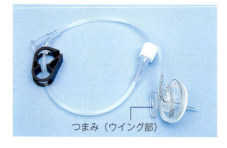
つまみ（ウイング部）

皮下埋めこみ型ポートは、抗がん剤治療や高カロリー輸液投与時に使用される。抜針時と廃棄時に針刺しが起こる可能性がある。

❶ 片方の手で円盤部分を押さえ、ウイング部を持ち、針を垂直に引き上げる。

❷ 針が格納部に収納され、金属板が隠れて緑のマーカーが現れる。

緑のマーカー

CHECK! 様々な針の廃棄方法

様々なタイプの針の廃棄方法も併せて紹介する。

血糖測定用穿刺針

片手でつまみを押すと、採血針が飛び出し、手を触れずに廃棄できる。

輸血針（セット含む）

輸血終了時、針・ラインが付いている場合は、血液バッグから接続を外さずにビニール袋に入れ、そのまま所定の容器に廃棄する。

インスリン注射用 プレフィルド/キット製材

専用の廃棄口（注射針用）が付属された針廃棄ボックスを用いる。廃棄口は、針が空回りしない構造でしっかりと固定でき、簡単に取り外し可能なものが望ましい。

検査・処置中の縫合針

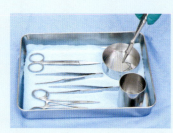

検査・処置中の縫合針などは、所定のシャーレなど、置き場を一定にする。
使用した針の本数を数え、確認後廃棄する。
廃棄する時は鑷子を用い、素手での取り扱いは絶対にしない。

CHAPTER 3-2 血液汚染事故時の対応

血液や体液曝露の発生経路には、針刺しなどによる経皮的曝露、正常な皮膚粘膜への経粘膜的曝露の2つがある。

職業感染として重要視されている血液由来病原体は、B型肝炎ウイルス（HBV）、C型肝炎ウイルス（HCV）、ヒト免疫不全ウイルス（HIV）の3種類で、この中でHBVのみがワクチンにより予防可能である。

目的

1. 針刺し時の対応をあらかじめ確認し、必要時に迅速な対応ができるようにする。
2. あらかじめ自身の検査結果を把握し、HBs抗原・抗体ともに陰性であれば、B型肝炎ワクチンを接種する。

針刺しへの対応

針刺しを起こしてしまったら、過度に慌てず、洗浄により血液・体液をできる限り除去し、次に以下の手順に従う（P.105 針刺し対応フローチャート参照）。

1 HBs抗原陽性患者の場合

① 受傷者は自分の抗体価を確認する。HBsAb抗体価10mIU/mL以上を基準値とする。ただし、抗体価が基準値以上でも必ず通常の消化器内科を受診し、1・3・6か月後の追跡フォローを受ける。

② 抗体価基準値未満の受傷者は、受傷後24〜48時間以内に受診（平日は消化器内科受診、夜間休日は救急外来受診）し、抗HBsヒト免疫グロブリン（HBIG）の筋肉注射を受け、その後消化器内科で1・3・6か月後のフォローを受ける。

③ 抗体価が不明な受傷者は24〜48時間以内に受診（平日は消化器内科受診、夜間休日は救急外来受診）し血液検査を受けるが、抗体価判明まで数日を要するため、その場で予防的にHBIGの筋肉注射を受ける。ただし、注射は任意だが、発症リスクを考慮するとできるだけ行うことが望ましい。その後、消化器内科で1・3・6か月後のフォローを受ける。

2 HCV抗体陽性患者の場合

事故発生日時・時間にかかわらず、通常の消化器内科を受診し、1・3・6か月後の追跡フォローを受ける（年末年始、ゴールデンウィークなどの連休中であれば、連休明けの通常の消化器内科を受診する）。

CHAPTER 3

3　HIV陽性患者の場合

平日
(1) 受傷者または職場責任者は、速やかに感染症科に連絡し、診察を受ける。
(2) その後は、感染症科外来で1・3・6か月後のフォローを受ける。

夜間休日
(1) 受傷者はすぐに救急外来を受診し、採血検査（HIV迅速検査）を受ける。救急外来看護師は、管理師長へ連絡する。
(2) 必要時、感染症科に連絡し、連携を取る。
(3) 内科当直医師は受傷者に説明し、予防内服の判断を促す。この時、受傷の程度などは考慮せず、「ツルバダ1錠分1、アイセントレス2錠分2」を平日になるまでの日数分処方する（例：翌日が平日なら1日分、3連休の初日なら3日分）。その後の内服継続などは感染症科外来で判断する。
(4) 予防内服が決定したら、速やかに服薬する。
(5) 予防内服の有無にかかわらず、平日の感染症科外来を速やかに受診し、予防内服の継続などについて決定する。
(6) その後は、感染症科外来で1・3・6か月後のフォローを受ける。

※感染症科と専門の科がない場合は、HIV拠点病院を受診する。

4　未検査の場合、患者が特定されない場合・患者に採血を拒否された場合

① 受傷者は、自分のHBV抗体価を確認する。HBsAb抗体価10mIU/mL以上を基準値とする。ただし、抗体価が基準値以上でも必ず通常の消化器内科を受診し、1・3・6か月後のフォローを受ける。
② 抗体価基準値未満の受傷者は、受傷後24～48時間以内に受診（平日は消化器内科受診、夜間休日は救急外来受診）し、HBIGの筋肉注射を受ける。その後、消化器内科で1・3・6か月後のフォローを受ける。
③ 抗体価が不明な受傷者は、24～48時間以内に受診（平日は消化器内科受診、夜間休日は救急外来受診）して採血検査を受けるが、抗体価は平日日中のみの測定のため、その場で予防的にHBIGの筋肉注射を受ける。ただし、注射は任意だが、発症リスクを考慮するとできるだけ行うことが望ましい。その後、消化器内科で1・3・6か月後のフォローを受ける。

HIV陽性を前提とする場合は、③を参照。

5　HIV陰性・HBs抗原陰性・HCV抗体陰性患者の場合

通常の消化器内科を受診し、1・3・6か月後のフォローを受ける。

職業感染対策

血液汚染事故時の対応

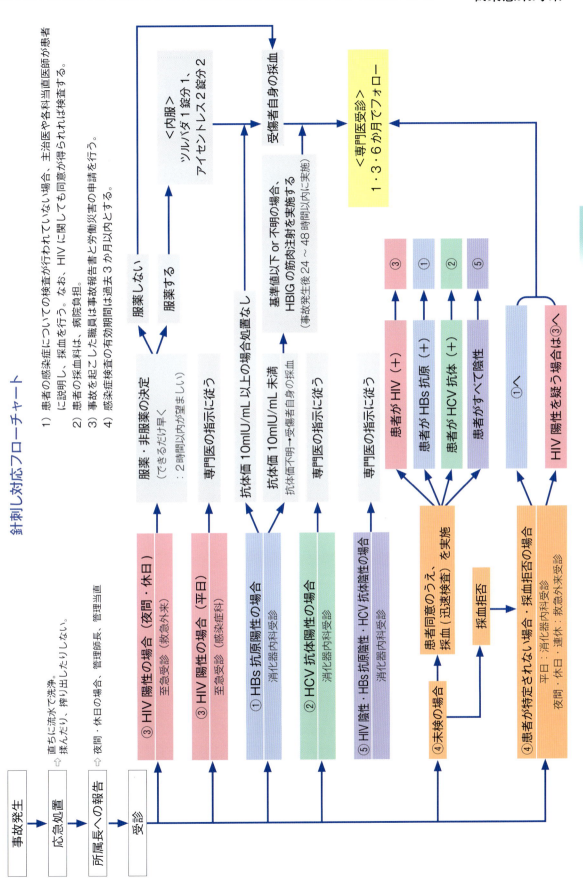

針刺し対応フローチャート

CHAPTER 3 職員抗体検査とワクチン接種

医療従事者には、患者などから感染を受けるリスクと自らが感染源となるリスクがある。

医療現場において職員・患者間の伝播が問題となる流行性ウイルス感染症には、水痘、麻しん、風しん、流行性耳下腺炎、インフルエンザなどがある。いずれも感染力が強く、患者が発症した場合は重症化や死亡のリスクが生じるだけでなく、在院期間の延長や入院制限による経済的影響を与えることがある。これらの疾患を予防することは、医療従事者個人の責務であり、組織としても取り組むべき重要な課題である。

目的 ● 医療現場における医療従事者・患者間の伝播による流行性ウイルス感染症に対して、医療従事者個人および組織として対応し、予防する。

各感染症への対応

主な感染症の特徴と適切な対応方法は、以下の通りである。

水痘、麻しん、風しん、流行性耳下腺炎

水痘、麻しん、風しん、流行性耳下腺炎は、ワクチンを接種することで発症の予防が可能な感染症であるため、抗体検査によるスクリーニングが勧められる。

また、罹患歴の記憶はあいまいなことが多く、確実な診断方法によって診断されていない場合が多い。既往歴の聴取だけでは信頼性が乏しいため、抗体価検査とワクチン接種が推奨されている。

医療従事者のみならず、実習生・研修生なども含め、免疫がない場合、接種不適応者以外は、ワクチンを接種する。

ワクチンはそれぞれの疾患に対して、2回接種が望ましい。

CHECK!

- それぞれの疾患特有の症状が発現する前から感染源となり、患者や他の医療従事者に感染拡大を招いてしまう。
- 特に、水痘や麻しんは基本再生産数(P.107参照)が高く、かつ空気感染するため、感受性者が感染する可能性が高い。
- 医療従事者は、免疫を獲得したうえで、勤務を開始することが必要である。
- 免疫獲得状況やワクチン接種状況は、本人と職員の健康管理部門との両方で保管する。

職業感染対策

■発症した職員と接触者への対応

	水痘	麻しん	風しん	流行性耳下腺炎
原因	水痘・帯状疱疹ウイルス	麻しんウイルス	風しんウイルス	ムンプスウイルス
感染源	気道分泌物、水疱	気道分泌物	気道分泌物	気道分泌物
感染経路	空気・接触感染	空気感染	飛沫感染	飛沫感染
潜伏期	10〜21日	5〜21日	12〜25日	12〜25日
感染期間	水疱出現前2日〜後5日	発しん出現前5日〜後4日	発しん出現前7日〜後7日	耳下腺腫脹前9日〜後9日
感染力	きわめて強い	きわめて強い	麻しんや水痘よりも強くない	麻しんや水痘よりも強くない
患者対応	・空気予防策・接触予防策を実施 ・水痘・帯状疱疹ウイルスに対する免疫を獲得している者が優先して行う	・空気予防策を実施 ・麻しんウイルスに対する免疫を獲得している者が優先して行う	・飛沫予防策を実施 ・風しんウイルスに対する免疫を獲得している者が優先して行う	・飛沫予防策を実施 ・ムンプスウイルスに対する免疫を獲得している者が優先して行う
感受性職員が接触した場合	・接触後72時間以内であればワクチンを接種 ・就業制限の目安：最初の曝露後10日〜最後の曝露後21日（ワクチン接種の有無にかかわらず）	・接触後72時間以内であればワクチンを接種 ・就業制限の目安：最初の曝露後5日〜最後の曝露後21日（ワクチン接種の有無にかかわらず）	・最初の曝露後7日〜最後の曝露後21日	・最初の曝露後12日〜最後の曝露後26日
医療従事者が発症した場合の就業停止期間の目安	・水疱が痂皮化するまで	・発しんが出現してから7日間 ・ワクチン接種をしても発症する可能性があるため、最初の曝露後5日〜最後の曝露後21日の間、就業制限が必要である	・発しんが出現してから5日間	・耳下腺炎発症後9日間

日本環境感染学会教育ツールVer.3「14．水痘・麻疹・風疹・流行性耳下腺炎」より改変

CHAPTER 3 職員抗体検査とワクチン接種

POINT

基本再生産数 (R0:Basic Reproduction Number)

感染力のある1人の感染者が、免疫の獲得もしくは死亡によりその感染力を失うまでに何人の未感染者に伝染させたかの人数。

■感染症の基本再生産数

病気	感染経路	基本再生産数(R0)
水痘	空気感染	8〜10
麻しん	空気感染	12〜18
風しん	飛沫感染	5〜7
流行性耳下腺炎	飛沫感染	4〜7
季節性インフルエンザ	飛沫感染	1.3〜1.8

CHAPTER 3

インフルエンザ

ワクチン接種を行うことで、インフルエンザによる重篤な合併症や死亡を予防し、健康被害を最小限にとどめることが期待できる。インフルエンザワクチンは流行する株が変化すること、接種後効果があらわれるまでに2週間程度を要し、約5か月間その効果が持続することから、ワクチン接種は毎年流行シーズン前の11月～12月に行うことが望ましい。

インフルエンザワクチンの対象
- 65才以上の成人
- 基礎疾患のある患者
- 医療機関で従事する者
- 医療系の学生
- 妊婦、気管支喘息患者も含まれる。

POINT
日常的な予防策の実施

日頃から、手指衛生をはじめとするスタンダード・プリコーションの実践を徹底することが感染対策の基本である。呼吸器衛生／咳エチケットの実践（P.13参照）は、インフルエンザに限らず、飛沫に含まれる病原体により伝播する疾患の感染防止に有効である。

■発症した職員と接触者への対応

発症した職員への対応	接触者への対応
インフルエンザ流行期に発熱、関節痛、咽頭痛などのインフルエンザ様症状を認めた職員は、就業せずに速やかに受診する。感染していれば、就業停止とする。 就業停止の期間については、各医療機関の判断に任せられている。感染性のある期間とする場合や、学校保健安全法*を参考にして定める。 *学校保健安全法（平成24年4月1日施行）：インフルエンザの出席停止期間は、発症した後（発熱の翌日を1日目として）5日を経過し、かつ、解熱した後2日（幼児は3日）を経過するまでとする。なお、「発症」とは、発熱を目安とする。	入院患者がインフルエンザを発症した場合は、原則として個室でスタンダード・プリコーションに加え、飛沫感染予防対策を実施する。 多床室で接触したハイリスク患者には、抗ウイルス薬の予防投与も考慮する。 これらの患者に接触した職員は、症状がない場合でも潜伏期からサージカルマスクを着用し、患者のケアにあたる。

B型肝炎ワクチン

医療従事者は、血液に曝露されるリスクが高く、ワクチン接種で感染予防が可能な血液媒介病原体は、B型肝炎ウイルス（HBV）のみである。

HBVは感染力が強く、環境表面の乾燥血液中で1週間は生き続けることができる。そのため、HBVは血液が付着した環境表面からわずかな傷を介しても感染する可能性がある。

CHECK!

■ HBV抗体陰性者（10mIU/mL未満）は、HBVワクチン接種を受け、抗体を獲得することが推奨される。ワクチンの接種回数は初回投与に引き続き、1か月後、6か月後の3回投与（1シリーズ）が有効である。抗体がつかない場合は、さらにもう1シリーズのワクチン接種が推奨される。

血液・体液曝露を予防するためには、スタンダード・プリコーションに加え、針刺し防止対策の徹底が重要である。万が一、曝露した場合には、P.105の表に沿って対応する。

MEMO

CHAPTER 4
パンデミックに備えた医療機関における感染対策

CONTENTS

組織としての感染対策

クラスター対応

ゾーニング

CHAPTER 4 パンデミックに備えた医療機関における感染対策

新型コロナウイルス感染症（COVID-19）の発生および流行は、世界中の人々の生活や健康に甚大な影響を与え、医療現場では、COVID-19の対応のみならず、一般診療の縮小を選択しなければならないほど大きく波及した。私たちは、この未曾有の事態から得た知見を踏まえ、次なる新興・再興感染症発生時にも対策を機動的に講じられるよう、平時より医療提供体制を構築していることが必要である。ここでは、病院感染対策に焦点をあて、日本赤十字社医療センターの実践をもとに組織としての感染対策、クラスター発生時の感染対策について述べる。

目 的　● 各医療施設がパンデミックのフェーズに合わせて地域の中での医療提供の役割を遂行・維持できる。

組織としての感染対策

医療機関における新興・再興感染症への対応は、発生時期、感染力、病原性など不確定要素が多くある段階に組織としての意思決定を求められるため、平時より通常業務が困難となる状況下での優先すべき業務について議論を行い、事業継続計画（Business Continuity Plan：BCP）を策定しておくことが必要である。

平時からの準備

BCP策定の際には、感染症対応に係る医療資源の状況など地域の実情を鑑みることや、通常の診療業務に加え感染症患者の治療のために業務量が増加し、かつ職員数が減少することも考えなければならず、基本方針レベルから慎重な議論が必要となる。BCPに盛り込む主な内容については、次ページの表に示す。
また、事前準備としては、BCP策定と並行して、施設内の新興感染症対策マニュアルを策定し、入院患者または職員が発症した場合の初動体制（隔離、ゾーニング、診療体制）の構築とシミュレーションを行うことが必要である。

■BCPに盛り込む主な内容[1]と日本赤十字社医療センターの実践例

BCPに盛り込む主な内容	日本赤十字社医療センターの実践例
①目的	－感染症が発生した際に、感染対策における病院の機能としての地域での役割を維持・継続するとともに、患者・職員の安全確保、事業への影響の極小化かつ効率的な事業の復旧を可能とするための行動手順と対応体制を整備する。
②基本方針 －指揮命令系統や、職域を超えた職員間の連携・協力を明示する。 －職員の安全を第一として、感染曝露対策、ジョブローテーションを適切に行う。	－病院の方針と地域での役割の明示がBCP内にあり、それに従って対応していくことを確認した。
③対策フェーズとフェーズごとの対応 －感染拡大時にゾーニング等の観点から活用しやすい病床や感染症対応に転用しやすいスペース（病床のダウンサイズに伴う空きスペースを含む）をあらかじめ決定しておく。	－陰圧個室や等圧個室数も含めて対応病棟をあらかじめ決定しており、BCPに従ってフェーズごとに病棟編成を行った。 －実際は、フェーズの進行が予想より早く、随時修正を行いながら対応した。
④対策本部の設置について －災害対応と同様、対策本部を最高の意思決定機関に位置づけ、組織内に十分に周知する。 －対策本部の本部長は組織の長が務め、対策本部には各部門の管理者を構成員として加える。 －感染対策チーム（ICT）メンバーは対策本部の一部分に位置づけ、技術的支援をする役割を付与する。	－病院長が対策本部長となり、指揮をとった。 －BCPに従い、対策本部の構成員を決定した。 －ICTメンバーは、対策本部の構成員となり、マニュアルの素案の作成や教育、相談の窓口となった。
⑤タスクフォース・ワーキンググループの設置 －基本方針に則り、対策本部長の命で設置される。	－寄付物品の管理、診療体制の整備、必要物品の購入などは、それぞれのワーキンググループで検討された。職員からの相談が逼迫していたため、「よろず相談窓口」を設置し、看護副部長が対応した。
⑥情報共有 －院内の情報周知の方法として職員が必ず参照すべき情報共有の手段を定める。（委託業者や派遣社員にも情報がいきわたる方法の検討も含む） －電子カルテシステムの再構築を行う。（職員への情報伝達ツールとしての役割、カルテ情報のデータ化、保健所等防疫機関との情報共有の迅速化を可能な限り最適化する） －院外向け広報の情報掲示の方法と担当者の設置。	－職員が常に最新情報にアクセスできるよう電子カルテのイントラネットに専用サイトを作成した。 －保健所等院外の情報収集ややりとりのために、対策本部ではPCを増設して対応した。 －患者向けの情報提供はHPを活用した。院内の広報もデジタルサイネージ化が進んだ。
⑦外部向けの相談窓口の設置	－従前の役割機能を継続することとし、新たに外部向けに特化した相談窓口を設けてはいない。
⑧メディア対応部門の設置 －メディアへの情報開示に関して関係先の事前情報提供の手順や関係先の特定。	－平時と同様のルールが適用された。
⑨業務整理 －有事における入院患者数と職員の概算を算出し、業務内容とマンパワーを鑑みて職員の再配置を行う。クラスター発生等で深刻な人員不足に陥った場合には、看護師等の人材確保の促進に関する法律（平成4年 法律第86号）第14条第1項の趣旨を踏まえ、同項の規定による指定を受けている都道府県ナースセンターの活用についても考慮する。	－対策本部が立ち上がり、感染症病棟が編成された。 －看護職においては、各病棟から数名ずつ選抜されたメンバーが、感染症病棟に派遣された。各メンバーは6か月間感染症病棟で従事し、3か月ごとに半分のメンバーが入れ替わる体制を組んだ。

CHAPTER 4

BCPに盛り込む主な内容	日本赤十字社医療センターの実践例
⑩職員健康管理 －体調不良の職員、新興感染症患者に曝露した患者の対応指針と対応部署を定める。	－方針の決定は、対策本部で行い、実務は健康管理センターが行った。
⑪職員メンタルヘルスケア －対応できる専門家チームを組織して対応する。 －自院内に対応できる専門人材がいない場合には、他医療機関や保健所に支援を依頼する。	－臨床心理士が含まれて構成されるスタッフサポートチームが立ち上がり、職員のメンタルヘルスケアをフォローした。

対策本部の様子

平時からの取り組みの強化

さらに、COVID-19を経験して見えてきた感染対策上の課題は、平時からの取り組みの強化だった。下記に取り組みを示す。

平時より感染対策の質の向上と維持に関する問題意識を持ち続けることが重要である。

■平時からの取り組みの強化と日本赤十字社医療センターの実践例

平時からの取り組みの強化	日本赤十字社医療センターの実践例
○標準予防策の考え方や実践の定着 ○感染経路別予防策の考え方の周知と実践	マニュアルの整備、手指衛生や適切な個人防護用具（PPE）の着脱に関して、遵守の強化とその評価とフィードバック。
○感染対策チーム (Infection Control Team：ICT) の活用や感染管理の専門性を有する看護師 (Infection Control Nurse：ICN) の確保	感染管理の専門家がポリシーに従った方針をたて、権限を持ってすべての職員に教育と評価を繰り返す。専門家はすぐには育成できるわけではないので、平時より専門家の確保と後進育成を行う。
○感染防護具等（PPEや手指消毒薬、環境清拭クロスなど）の備蓄	PPEや手指消毒薬、環境清拭クロスなどは、安定供給が可能で、使用方法が煩雑でなく、一定の質が保たれる製品の選択を行い、有事の際に需要が増しても対応できる量の備蓄をする。使用期限が近くなる前に日常で使用するなどして、備蓄用の製品が期限切れとならないよう留意する。
○重症患者（ECMOや人工呼吸器管理が必要な患者など）に対応可能な人材の育成	
○PCR検査等病原体検査の体制の整備	
○保健所や地域の連携	

パンデミックに備えた医療機関における感染対策

クラスター対応

STUDY クラスター、アウトブレイク、パンデミックとは

クラスター 「同種のものや人の集まり、群れ、集団」という意味で、同じような感染症や病原体が集中的に発生している、あるいは検出されている現象を示す用語。

アウトブレイク 「ある一定の期間（時：Time）に、特定の地域・場所（場所：Place）で、特定の集団・グループ（ヒト：Person）において、通常予測されるよりも多くの事象（Event）が発生すること」と定義されている。

パンデミック 感染症などの疾患が世界規模で同時期に流行すること、一定の地域から周辺地域へ大きな広がりを見せる感染が世界規模に発展した状態を指す時に使われる。

クラスターが発生した場合の対応

1 初動対応と判定

クラスターが疑われる場合 →現場はICTに連絡する。ICTは、以下の対応を行う。
①現場の情報収集、状況把握（数、範囲の確認）。　②会議開催の準備を行い、対策を講じる。
③同時に、感染防止策の再確認ならびに強化、院内での情報共有。
④保健所と連携を取りつつ次の方針を決定していく。

クラスターと判定された場合
①病院幹部（対策本部含む）への報告。
②規模やレベルに応じて、患者の部屋移動や病棟移動の制限、さらには入院制限について検討。
③感染者、濃厚接触者、有症状者（疑似症患者）と非接触者のゾーニングを行う。
④感染者の対応を行った職員にも濃厚接触者かどうかの判定を行い、対応について検討する。リストアップした対象者に検査を実施する際は、検査結果に応じた対応を十分に検討して開始する。

2 収束の基準の設定

①アウトブレイクの収束の基準の1つ「継続的な監視を行っても新規の症例発生が一定期間（非常在性の病原体の場合は、一般的に潜伏期間の2倍の期間とすることが多い）認められなかった場合」[2)3)]を応用して、クラスターの収束基準も検討していく。
②同時に、維持・再開する機能に応じた必要最低限の医療従事者が確保されていることを確認し、クラスター発生要因の解析と再発防止対策（例：復職プログラム）を実施していく。

> **POINT**
> ■ クラスターとして宣言したら、終息の基準を設定し、対策の解除とともに平時の運用に戻していくことが必要。

Column　寄付物品の取り扱い

新興感染症を含めた災害時には、寄付物品をいただくことも多い。
物資が不足している事態の中で有意義に活用させるためにも、保管場所の確保や、PPE（マスク・ガウン・手袋等）では使用基準を満たしているか、使用方法が煩雑でないかの確認、在庫の管理など、寄付物品全体を管理する担当者がいるとよい。担当者は、PPEなどについては、感染対策チームと相談しながら、使用の可否や順番、分配部署などを決定していく。

CHAPTER 4

Column 復職プログラム（日本赤十字社医療センターの実践例）

復職プログラムは、クラスターとなり部署閉鎖となった職員を対象として立案されたもので、講義形式に加え、グループワーク形式、他部署ラウンドなど、参加型の研修方法も取り入れて作成した。また、受講者は2週間の在宅勤務中より様々な思いをもってプログラムに参加していること、マスメディアからの情報の上書きが多いことなどを鑑みて、ICTのみならず、メンタルサポートなど院内のリソースや管理局とも協働して実行した。

ゾーニング

1 ゾーニングとは

病原体によって汚染されている区域（汚染区域）と 汚染されていない区域（清潔区域）を分けること。

POINT
- ゾーニングは、安全に医療を提供するとともに、感染拡大を防止するための基本的な考え方。

テープを貼る / 清潔区域 / 汚染区域

日本赤十字社医療センターの有症状者の外来におけるゾーニングの例（以下すべて同）

元々は外来診療としての機能をもたないエリアを、発熱・呼吸器症状などの有症状者専用外来とした。写真は入口付近。清潔区域（左）と汚染区域（右）を黒・黄色のトラテープで区切っている。左が職員、右が患者の動線となる。

2 ゾーニングの方法

- ゾーニングを設定する際は、平面図を用いて実際に現場で動線などを確認しながらシミュレーションを行うことが重要。
- 汚染区域は可能な範囲で狭く設定する。
- スタッフステーションは清潔区域に設定する。

POINT
- クラスターの発生によって、清潔区域に設定した場所がすでに病原体で汚染されている可能性がある場合は、ゾーニングを開始する前に清掃・消毒を徹底する。
- 汚染区域を広く設定すると、環境表面や器材類がより広く汚染されてしまう。それに伴い職員の曝露機会が増えるとともに、清掃・消毒の負担が大きくなる。
- スタッフステーションを汚染区域に設定すると職員は常に感染リスクの高い状況にいることになり、ストレスや疲労が蓄積してしまうリスクがある。

清潔区域に設定されているスタッフステーション。右側の診察室は汚染区域に設定されている。

パンデミックに備えた医療機関における感染対策

- 汚染区域をレッドゾーン、準汚染区域をイエローゾーン、清潔区域をグリーンゾーンと色分けし、わかりやすく明確に示す。

レッドゾーン

ゾーンの考え方
- 隔離対象者が在居している部屋や陽性者の退出直後の病室などが対象。

必要なPPE等
- エアロゾルによる感染の可能性もあるため※、基本的にはN95レスピレータを着用。
- 眼にウイルスが曝露する可能性がある場合はアイプロテクトを着用。
- 着衣や手にウイルスが曝露する可能性がある場合は、ガウン・手袋を着用。
- N95レスピレータ以外のPPEはレッドゾーン内で脱衣許容。

必要な設備等
- 陰圧または高換気な状態とするのが理想。

イエローゾーン

ゾーンの考え方
- PPEを脱衣するゾーンなどが対象。
- 隔離病室の廊下を対象とする場合もあるが、環境に存在するウイルスが飛散して感染する可能性は低いため、廊下をイエローゾーンとする必要性は低い。
- ICU等では薬剤の受け渡しに活用。
- 最近ではイエローゾーンを設けない施設も存在。

必要なPPE等
- N95レスピレータを含むPPEはイエローゾーン内で脱衣。
- 隔離病室前室はイエローゾーンとし、前室がなければ病室内でPPE脱衣。
- 病室が狭い、精神疾患・認知症患者など病室内で脱衣できない場合は、廊下などにイエローゾーンを設定しPPE脱衣。
- N95レスピレータを外した後はサージカルマスクを着用。

グリーンゾーン

ゾーンの考え方
- 通常業務を実施する場所などが対象。

必要なPPE等
- レッド/イエローゾーンからグリーンゾーンに戻る場合は必ず手指衛生。
- リユースするN95レスピレータやアイプロテクトはグリーンゾーンで保管許容(前室がある施設は前室で保管可能)。
- 使用済みのガウン・手袋・未消毒のアイプロテクトを着用したまま戻るのは厳禁。
- 職員間の感染予防としてサージカルマスクの着用は継続。

補足事項(勤務中の留意事項など)
- 食事などでサージカルマスクを外した場合の会話は厳禁。
- サージカルマスクを着用していても大きな声を出したり、密接したりする状況は回避。

※ どのゾーンも床は汚染されている可能性があると考え、清潔物を床に直接置かない。ただし、床の消毒などの過剰な対応は不要である(日常的な清掃で十分)。
* Clin Infect Dis. 2020 Aug 28;ciaa1283.
令和2年度厚生労働行政推進調査事業費補助金(厚生労働科学研究事業)「新型コロナウイルス感染症領域別感染予防策」(研究代表者:賀来満夫)「医療機関における新型コロナウイルスにおけるゾーニングの考え方」(2021.7.28)より引用

発熱外来の平面図の例

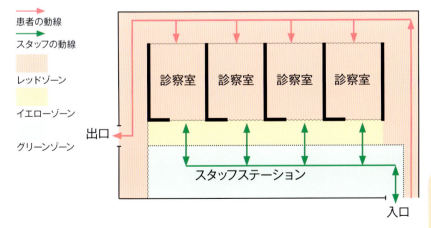

POINT
- 色分けされた平面図を掲示し、区分を示したり、床に色のテープを貼ったりすることで、職員の意識づけを行う。

CHAPTER 4

3 ゾーニングにおける主な留意事項

- 汚染区域で使用した物品などは、清潔区域には持ち出さず、汚染区域内で廃棄や消毒ができるようにする。
- 職員は、汚染区域に入った後、同じPPEを着用して清潔区域に入ってはいけない。
  ＊搬送時などやむを得ない場合を除く。
- 職員は、汚染区域に入る前に必要なPPE（マスク、フェイスシールド、ゴーグル、手袋、ガウン、キャップ等）を装着し、汚染区域から出る前にPPEを脱衣する。

CHECK! PPEに関して気をつけること

- PPEは覆われる部分が多く、視界が狭小となるため疲労が蓄積し、全身防護服を脱ぐ際の集中力が欠けて感染リスクが高まる。
- PPE脱衣後の手指衛生まで集中できる余力を確保できるジョブローテーションを組むことと、PPE自体の選択に留意する。

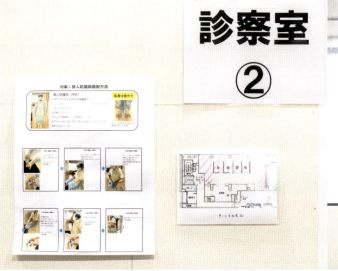

PPE装着エリアと着脱方法の掲示

Column　感染症患者の病室清掃

COVID-19では、従来の清掃業務を看護師が代行せざるを得ない事例が多くの医療施設でみられた。一般診療を縮小し、優先業務を選択している中で、医療の提供に加えて清掃業務を行わなければならないことは、看護師の業務量増大と徒労感を誘導し、大きな負担となっていたことが課題であった。

清掃従事者による感染症患者の療養環境の清掃業務の継続は医療体制の維持に不可欠な要素であり、清掃に関する専門的知識を有する者による衛生的な環境の保持は、感染制御の点からも重要である。ICTは清掃従事者に対してもPPEの着脱方法を含めた感染対策のレクチャーを行い、清掃従事者が正しく感染対策ができるようサポートしていくことが必要である。

さらに、新興感染症発生時の清掃従事者による清掃業務の継続について仕様書に明文化しておくとともに、感染対策を実装した清掃業務の体制について備えていく必要がある。

ICTによる清掃従事者に対する感染対策の研修の様子。

参考文献

CHAPTER 1　病院感染対策の基礎

1) 坂本史衣：基礎から学ぶ医療関連感染対策 改訂第2版 標準予防策からサーベイランスまで. 南江堂, 2012.
2) 洪愛子編：ベストプラクティスNEW感染管理ナーシング. 学習研究社, 2006.
3) 国公立大学附属病院感染対策協議会編：病院感染対策ガイドライン 改訂第2版. じほう, 2015.
4) 洪愛子編：Primary Nurse Series 院内感染予防必携ハンドブック. 中央法規出版, 2012.
5) 矢野邦夫, 向野賢治訳・編：改訂2版 医療現場における隔離予防策のためのCDCガイドライン 感染性微生物の伝播予防のために. メディカ出版, 2007.
6) 満田年宏訳・著：隔離予防策のためのCDCガイドライン 医療環境における感染性病原体の伝播予防2007.ヴァンメディカル, 2007.

CHAPTER 2　病院感染対策の実践

1) CDC：Guideline for Hand Hygiene in Health-Care Settings. 2002.
https://www.cdc.gov/mmwr/PDF/rr/rr5116.pdf（2023年7月31日現在）
2) 満田年宏訳・著：隔離予防策のためのCDCガイドライン 医療環境における感染性病原体の伝播予防2007.ヴァンメディカル, 2007.
3) 坂本史衣：基礎から学ぶ医療関連感染対策 改訂第2版 標準予防策からサーベイランスまで. 南江堂, 2012.
4) 内田美保編著：ナーシング・プロフェッション・シリーズ 感染管理の実践. 医歯薬出版, 2012.
5) 大野義一朗監修：感染対策マニュアル 第2版. 医学書院, 2013.
6) 藤田昌久編：Nursing Mook ステップアップ院内感染防止ガイド. 学習研究社, 2006.
7) 柴谷涼子：感染対策の必守手技—写真だからみるみるわかる！. メディカ出版, 2012.
8) 吉田みつ子, 本庄恵子監修：写真でわかる 基礎看護技術アドバンス. インターメディカ, 2016.
9) 日本看護協会教育委員会監修：看護技術DVD学習支援シリーズ 看護場面における感染防止. インターメディカ, 2007.
10) 大久保憲訳, 小林寛伊監訳：グローバルスタンダードシリーズ 医療現場における手指衛生のためのCDCガイドライン. メディカ出版, 2003.
11) 小林寛伊, 吉倉廣, 荒川宣親, 倉辻忠俊編：エビデンスに基づいた感染制御 第2集－実践編. メヂカルフレンド社, 2003.
12) 洪愛子編：ベストプラクティスNEW感染管理ナーシング. 学習研究社, 2006.
13) 国公立大学附属病院感染対策協議会編：病院感染対策ガイドライン 改訂第2版. じほう, 2015.
14) 満田年宏訳・著：医療施設における 消毒と滅菌のためのCDCガイドライン2008. ヴァンメディカル, 2009.
15) 満田年宏訳・著：血管内留置カテーテル関連感染予防のためのCDCガイドライン2011. ヴァンメディカル, 2011.
16) 満田年宏訳・著：カテーテル関連尿路感染予防のためのCDCガイドライン2009. ヴァンメディカル, 2010.

参考文献

17) 日本医療福祉設備協会編：病院空調設備の設計・管理指針「HEAS-02-2004」．日本医療福祉設備協会，2004．
18) 日本医療機器学会：医療現場における滅菌保証のガイドライン2021．
https://www.jsmi.gr.jp/wp/docu/2021/10/mekkinhoshouguideline2021.pdf（2023年7月31日現在）
19) 小林寛伊編：新版増補版 消毒と滅菌のガイドライン．へるす出版，2015．
20) 大久保憲編：インフェクションコントロール2009年秋季増刊 現場ですぐ使える 洗浄・消毒・滅菌の推奨度別・絶対ルール227＆エビデンス．メディカ出版，2009．
21) 環境省：廃棄物の処理及び清掃に関する法律．
https://elaws.e-gov.go.jp/document?lawid=345AC0000000137（2023年7月31日現在）

CHAPTER 3　職業感染対策

1) 和田耕治他：エピネット日本版サーベイランス参加医療機関における病室内外の針刺し切創の解析－2013から2014年度－．日本環境感染学会誌，2017；32(1)：6-12．
2) 職業感染制御研究会：エピネット日本版Version4 針刺し・切創報告書、皮膚・粘膜汚染報告書．
http://jrgoicp.umin.ac.jp/epinetjp/エピネット日本版v4.pdf（2023年7月31日現在）
3) 厚生労働省：医療施設における院内感染の防止について．2005．
http://www.mhlw.go.jp/topics/2005/02/tp0202-1.html（2023年7月31日現在）

CHAPTER 4　パンデミックに備えた医療機関における感染対策

1) 厚生労働省 医療計画の見直し等に関する検討会：新型コロナウイルス感染症対応を踏まえた今後の医療提供体制の構築に向けた考え方 令和2年12月，一部抜粋変更．
https://www.mhlw.go.jp/content/10801000/000705708.pdf（2023年7月31日現在）
2) 平成18年度 厚生労働科学研究費補助金（新興・再興感染症研究事業）薬剤耐性菌等に関する研究（H18–新興–11，主任研究者 荒川宜親）：医療機関における院内感染対策マニュアル作成のための手引き（案）(070413 ver. 3.0).
https://www.mhlw.go.jp/topics/bukyoku/isei/i-anzen/hourei/dl/070508-5.pdf（2023年7月31日現在）
厚生労働省：院内感染対策のための指針案及びマニュアル作成のための手引きの送付について 平成19年5月8日．
https://www.mhlw.go.jp/topics/bukyoku/isei/i-anzen/hourei/dl/070508-1.pdf（2023年7月31日現在）
3) Thompson RN, Morgan OW, Jalava K.: Rigorous surveillance is necessary for high confidence in end of-outbreak declarations for Ebola and other infectious diseases. Philos Trans R Soc Lond B Biol Sci 374 (1776): 2019.
4) 日本環境感染学会：医療機関における新型コロナウイルス感染症への対応ガイド 第5版（2023年1月17日）．
http://www.kankyokansen.org/uploads/uploads/files/jsipc/COVID-19_taioguide5-2.pdf（2023年7月31日現在）

索引

あ
アイシールド ……………………………………… 34
アウトブレイク …………………………………… 115
アメリカ疾病管理予防センター→CDC
アルコール擦式消毒 ………………………… 18, 23
安全装置付き静脈留置針 ……………………… 101
安全装置付きポート針 ………………………… 102
安全装置付き翼状針 …………………………… 100
安全な注射手技 …………………………………… 14

い
イエローゾーン ………………………………… 117
イソプロパノール ………………………………… 72
医療関連感染 ……………………………………… 12
インスリン注射用プレフィルド/キット製材 … 102
陰部洗浄 …………………………………………… 53
インフルエンザ ………………………………… 108
インラインネブライザー ………………………… 58

う
ウォータートラップ ……………………………… 57
ウォッシャーディスインフェクター …………… 71

え
エタノール ………………………………………… 72
エチレンクロロヒドリン ………………………… 77
エモリエント ……………………………………… 23

お
汚染エアロゾル …………………………………… 56
汚染区域 ………………………………………… 116

か
開放型吸引カテーテル …………………………… 60
化学的インジケーター→CI
過酢酸 ……………………………………………… 72
カルチャーボトル ………………………………… 90
環境整備 ……………………………………… 14, 78
患者に使用した器具の取り扱い ………………… 14
患者のベッド周囲 ………………………………… 79
患者配置 …………………………………………… 14
感受性検査 ………………………………………… 87
感受性宿主 ………………………………………… 12
感染経路 …………………………………… 12, 15, 114
感染源 ……………………………………………… 12
感染症 …………………………………… 12, 15, 84, 106
感染性廃棄物 ……………………………………… 84
　　──一般廃棄物 ……………………………… 85
　　──産業廃棄物 ……………………………… 85
感染性廃棄物の判断フロー ……………………… 84
感染対策チーム→ICT
感染徴候 …………………………………………… 67

き
機械的合併症 ……………………………………… 45
気管切開部 ………………………………………… 63
気管内吸引 ………………………………………… 59
寄付物品 ………………………………………… 115
基本再生産数 …………………………………… 107
逆行性感染 …………………………………… 53, 68
キャップ …………………………………………… 27
吸引ビン …………………………………………… 62
吸入薬 ……………………………………………… 65

く
空気感染 …………………………………………… 15
クラスター ……………………………………… 115
グリーンゾーン ………………………………… 117
クリティカル器具 ………………………………… 70
グルタラール ……………………………………… 72
クロルヘキシジン ………………………………… 72
クロルヘキシジン・イソプロパノール ………… 72
クロルヘキシジン・エタノール ………………… 72

け
血液媒介ウイルス曝露 …………………………… 98
血液媒介病原体 …………………………………… 98
血液培養 …………………………………………… 90
血液曝露予防方法 ………………………………… 98
血栓性静脈炎 ……………………………………… 48
血糖測定用穿刺針 ……………………………… 102
嫌気ボトル …………………………………… 90, 92

こ
好気ボトル …………………………………… 90, 92
口腔内吸引 ………………………………………… 61
高水準消毒薬 ……………………………………… 72
硬膜外や脊椎穿刺時のマスク …………………… 14
ゴーグル …………………………………………… 34
呼吸器衛生 ………………………………………… 13
呼吸器感染症 ……………………………………… 13
個人防護用具（PPE） …… 13, 24, 114, 115, 118
コホーティング …………………………………… 14

さ
サージカルマスク ………………………………… 28
細菌検査 …………………………………………… 87
再興感染症 ……………………………………… 112
採痰 ………………………………………………… 88
採尿 …………………………………………… 55, 89
採尿ポート ………………………………………… 55
酸化エチレンガス→EOG
酸素吸入器 ………………………………………… 63

し
次亜塩素酸ナトリウム …………………………… 72
事業継続計画→BCP

121

索　引

し
- 自動洗浄機……71
- ジャクソンリース……58
- 集尿バッグ……53, 89
- 手指衛生……13, 18
- 手術部位感染→SSI
- 術創……67
- 受動的なドレーン……68
- 消毒……70, 72
- 職員抗体検査……106
- 職員の安全……14
- 職業感染……98
- 除毛……66
- 新型コロナウイルス感染症……112
- 新興感染症……112
- 人工呼吸器……57
- 人工呼吸器に関連した肺炎→VAP
- 人工鼻……63
- 迅速抗原検査……87
- 深部静脈血栓症……45

す
- 水痘……106
- 水溶性ランドリーバッグ……81
- スキンケア……23
- スタッフエリア……78
- スタッフサポートチーム……114
- スタンダード・プリコーション……13
- スポルディングの分類……70, 72

せ
- 清潔区域……116
- 清拭車……82
- 清掃……118
- 清掃用具……80
- 製氷機……83
- 咳エチケット……13
- 接触感染……15
- セミクリティカル器具……70
- 洗浄……70
- 洗浄処理……71

そ
- 挿管セット……65
- ゾーニング……115, 116

た
- 対策本部……113
- 第4級アンモニウム塩……72
- タオル……80
- タスクフォース……113
- タンパーエビデントシール……54

ち
- 中心静脈カテーテル……45
- 中水準消毒薬……72
- 超音波洗浄機……71
- 超音波ネブライザー……64

て
- 手洗いをしそこないやすい部位……20
- 手荒れ……23
- 低水準消毒薬……72
- ディスポーザブル・タオル……82
- 定性的テスト……29
- 定量的テスト……29
- 手袋の素材……26
- 電子カルテワゴン……79
- 電動クリッパー……66

と
- 同定検査……87
- 導尿用チューブ……54
- 塗抹検査……87
- トラキマスク……63
- ドレーン管理……69
- ドレッシング材の交換……45, 48

な
- ナースセンター……113

に
- 尿器……82
- 尿道留置カテーテル……51
  - ──挿入中の管理……53
  - ──の挿入……52

ね
- ネブライザー式高流量酸素投与……64

の
- 能動的なドレーン……68
- ノンクリティカル器具……70

は
- 排液の回収……69
- 排液ボトル……68
- バイオハザードマーク……85
- 培養……87
- バクテリアフィルター……57
- 針刺し……98
  - ──への対応……103
- 針刺し防止機能付きカルチャーボトル……94
- 針刺し防止機構付き血液ガス検体採取用注射筒……101
- 針廃棄ボックス……100
- ハンドクリーム……23
- ハンドネブライザーのし管……65
- パンデミック……112, 115

ひ
- ヒト免疫不全ウイルス……98
- ビニールエプロン……30, 32

飛沫核……15
飛沫感染……15
病院感染……12
標準予防策→スタンダード・プリコーション

ふ
風しん……106
フェイスシールド……34
復職プログラム……116
フタラール……72
フットカバー……27
プレフィルドシリンジ……50
分注用コネクター……94

へ
閉鎖型吸引カテーテル……59
閉鎖式ドレナージ……68
ベッドパンウォッシャー……62, 82
ヘパリンロック……50
便器……82

ほ
縫合針……102
ポビドンヨード……46, 72
ポビドンヨード・エタノール……72

ま
マキシマル・バリア・プリコーション……46
麻しん……106
末梢静脈内カテーテル……48

み
未滅菌ガウン……30
未滅菌手袋……25

む
無菌性保証レベル……76

め
滅菌……70, 76
滅菌ガウン……30
滅菌精製水……63
滅菌鑷子……38
滅菌手袋……25, 39
滅菌パック……36
滅菌物使用上の注意……77
滅菌物の管理……76
滅菌物の取り扱い……35
滅菌包……42
メンタルサポート……116
メンタルヘルスケア……114

や
薬品冷蔵庫……83

ゆ
ユーザーシールチェック……29
輸血針……102

り
リキャップ……99
リネン……80
リネンの取り扱い……14
リフトバス……83
流行性耳下腺炎……106
流水石けん手洗い……18, 21
両性界面活性剤……72

れ
レッドゾーン……117

わ
ワーキンググループ……113
ワクチン接種……106

アルファベット・数字

AC滅菌……77
BCP（Business Continuity Plan）……112, 113
B型肝炎ウイルス……98
B型肝炎ワクチン……108
CDC……13
CI（Chemical Indicator）……35, 36, 77
COVID-19→新型コロナウイルス感染症
C型肝炎ウイルス……98
EOG……77
EO滅菌……77
HAI（Healthcare-associated Infection）
　→医療関連感染
HBIG……103
HBs抗原……103
HBV→B型肝炎ウイルス
HCV→C型肝炎ウイルス
HCV抗体……103
HIV→ヒト免疫不全ウイルス
ICT（Infection Control Team）……113-115
ICN（Infection Control Nurse）……114
Miller＆Jonesの分類……88
N95マスク……28
　——のフィットテスト……29
PPE（Personal Protective Equipment）
　→個人防護用具
SSI（Surgical Site Infection）……66
VAP（Ventilator Associated Pneumonia）
　……56

[新訂版] 写真でわかる
看護のための感染防止アドバンス
病院感染対策の基本・実践のポイントを徹底理解！

2023年9月20日　初版第1刷発行

[監　修] 川上潤子
　　　　　日本赤十字社医療センター 感染管理室
[発行人] 赤土正明
[発行所] 株式会社インターメディカ
　　　　　〒102-0072　東京都千代田区飯田橋2-14-2
　　　　　TEL.03-3234-9559　FAX.03-3239-3066
　　　　　URL　http://www.intermedica.co.jp
[印　刷] 図書印刷株式会社

[デザイン・DTP] 真野デザイン事務所

ISBN978-4-89996-482-7
定価はカバーに表示してあります。

本書の内容（本文、図表、写真、イラストなど）を、当社および著作権者の許可なく無断複製する行為（複写、スキャン、デジタルデータ化、翻訳、データベースへの入力、インターネットへの掲載など）は、「私的使用のための複製」などの著作権法上の例外を除き、禁じられています。病院や施設などにおいて、業務上使用する目的で上記の行為を行うことは、その使用範囲が内部に限定されるものであっても、「私的使用」の範囲に含まれず、違法です。また、本書を代行業者などの第三者に依頼して上記の行為を行うことは、個人や家庭内での利用であっても一切認められておりません。